無敵の読解力

池上 彰・佐藤 優

文春新書

1341

はじめに

日本学術会議のメンバーに推薦された会員候補一〇五人のうち、六人が菅義偉《すがよしひで》首相（当時）によって任命されなかったことが判明したのは二〇二〇年一〇月のことでした。なぜ六人だけが任命されなかったのか。菅首相は、その理由を明らかにせず、「総合的、俯瞰《ふかん》的活動を確保する観点から判断した」という意味不明の言葉を繰り返すだけでした。

実際には、安倍政権が進めた安保法制や「共謀罪」法制定などの動きに批判的な発言をしてきた人文・社会科学の分野の研究者が狙い撃ちされたのですが、それを認めれば、「学問の自由の侵害」「表現の自由の否定」ということになってしまうため、言を左右にして逃げるしかなかったのです。

日本学術会議は、「政府・社会に対して日本の科学者の意見を直接提言」（日本学術会議ホームページより）する機関です。日本という国家を舵《かじ》取りする政治家に対し、科学者の立場で発言していく。当然のことながら、テーマによっては政府の方針と異なることもあるでしょう。それでも、政府にとって耳に痛い言葉を聞く。これが知性ある政治家の責務です。それが、「気に食わないから任命しない」では、反知性主義と言うしかないでしょう。

どうも、このところ日本社会には反知性主義が蔓延《まんえん》しているのではないか。与野党を問わず数多くの政治家の発言から、知性の煌《きらめ》きが感じ取れません。教養という言葉は、どこに消えたのか。いくらなんでも、もう少し何とかならないものか。

この焦燥感において佐藤優氏と意気投合し、日本そして世界をよりよく理解するための助けになる書籍を読み解いていこうということになりました。この問題意識のもとに本書が完成しました。

たとえば、このところカール・マルクスの『資本論』が再び脚光を浴びているのは、なぜなのか。行き過ぎた資本主義の欠陥が明らかになっているからではないか。米中の対立をどう見たらいいのか。「新冷戦」なのか、「帝国主義」の新たな勃興なのか。そうしたさまざまな問題あるいは課題を読み解く補助線になるのが、古典なのではないでしょうか。

万巻の書を読み続けてきた佐藤氏と一緒に多数の書籍を読み解き、その現代的意味を考えるのは、実に知的興奮を味わう時間でした。そんな珠玉の時間を、読者のあなたにも持っていただきたい。そんな思いを持って、この書を世に出します。

二〇二一年一一月

池上　彰

無敵の読解力 ◎ 目次

はじめに　池上彰　3

【第一章】人新世から見た仕事論　15

■読解力をつける一番の早道
■ＳＤＧｓは現代版「大衆のアヘン」
■グレタ・トゥーンベリと三・五％の人間の抗議活動
■「脱成長」による「豊かさ」とは
■ローマクラブと『清貧の思想』
■階級闘争史観による怒り
■疎外論と窮乏化論
■ディープステートは存在する!?
■『資本論』は資本家が読むもの
■メリトクラシーが行きつくところ
■ブルシット・ジョブの世界観はついて回る

【第二章】米中対立　新冷戦か帝国主義戦争か　67
■ミアシャイマーの最悪情勢分析
■帝国と帝国主義の違い
■中国はレーニンの帝国主義国家そのもの
■マルクスは中国にとって危険思想
■レーニンとスターリン
■習近平の慢心
■誰が国家の主人なのか
■アメリカ型の普遍的価値観の限界
■習近平が取りつかれた夢
■オバマはしたたか、バイデンは稚拙
■アメリカ人と中国人はどちらが均質か
■インテリジェンスのゆがみと暴走

■中国とは挨拶はするけど、握手はしない
■それぞれの国の内在的論理を見る
■共通の敵、柔軟な日中関係

【第三章】オリンピックはなぜやめられなかったのか 123

■一九六四年の東京五輪との違い
■オリンピックというものに抱く幻想
■オリンピックに熱狂するのは一部の国だけ
■幻のモスクワオリンピック
■オリンピックとテロ
■ＩＯＣの恐るべき闇
■限定合理性で突き進んだ日本軍
■東京五輪はそもそもやるべきだったのか
■皇軍の伝統は生きている

■複数の部分合理性を知ることの重要性
■共同主観性という根っこ

【第四章】愛読書から見るリーダー論 157

■菅義偉の愛読書『君主論』のインパクト
■マキアヴェリズムを駆使する政治家
■『君主論』は権力者たちの無意識を言語化したもの
■小泉純一郎の恐るべき浅さ
■田中眞紀子の演劇性
■枝野幸男の恐るべき空虚
■左派陣営の人たち
■中曾根康弘と細川護熙は教養陣営？
■菅直人と「最小不幸社会」
■レーニン型とヒトラー型

■政治家と官僚の低学歴
■マルローとルカーチ

【第五章】日本人論の名著を再読する　207

■改めて日本人のことを考えてみる
■『菊と刀』とその原型
■戦後日本のグランド・デザイン
■最大の問題は「恥の文化」と「罪の文化」
■『菊と刀』の画期的な意味
■ソ連人がはじめて描いた日本人の諸相
■『桜の枝』が二種類ある理由
■『菊と刀』をパクったことの意味
■日本文化への肯定的な評価
■大きな役割を果たした大使、ライシャワー

■日本の神秘性を剝ぐ
■外国人が書いた日本人論の見どころ
■対米従属論のどこがいけないのか
■今、日本人論を扱う意味

おわりに　佐藤優 254

構成：石橋俊澄

【第一章】人新世から見た仕事論

■読解力をつける一番の早道

佐藤　現代を生きるうえで最も重要なスキルは何かを考えてみると、私は「読解力」だと思うんです。というのも、現代はこれまでにないほど情報過多の時代ですね。インターネットはそれに拍車をかけていて、莫大な文字情報を読み、不要なものは捨て、必要なものにはすぐさま反応することが求められる。そのいい例がリモートワークで、実はリモートによって、これまで顔を合わせて口頭でやり取りしていた情報を、メールやＳＮＳで報告するために文字で書いて、またその文書を読まなくてはならない。

池上　ある意味、莫大な時間の浪費ですね。

佐藤　そうなんです。そこで交わされているかなりの情報は、これこそ不要不急のものなのに、それを処理するのに、また時間が割《さ》かれる。これを高速で処理するためには不可欠なのが「読解力」なんです。

　では「読解力」を身につけるにはどうしたらいいのか。たとえばインターネットでやみくもに情報検索を行うというのは、一見、効率的にみえて最も時間の無駄なんです。なぜなら、ネットなどに広がっているデータはまさにほとんどが自分に必要のない情報だからです。しかも、断片的で文脈もはっきりしない。これに付き合っても消耗するばかりで、

この章の参考書

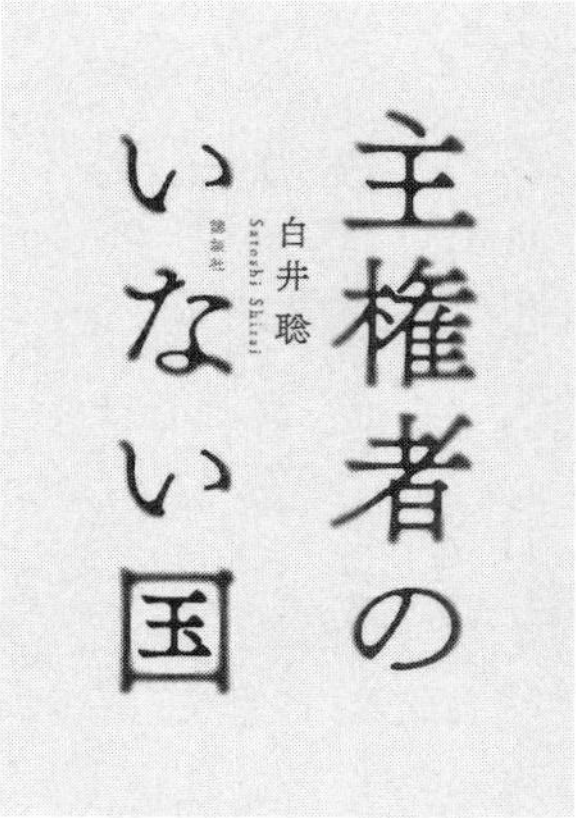

『主権者のいない国』

『人新世の「資本論」』

『ブルシット・ジョブ　クソどうでもいい仕事の理論』

いつまでたっても「読む力」は身につきません。

本当に読む力をつけようと思ったら、やはり書籍なんです。一冊の書籍が成り立つまでには、いくつものふるいにかけられている。要らないものを省き、論旨を明確にしないと、そもそも売り物にならない。さらにいえば、古典にじっくり取り組むこと。これが「読解力」をつける一番の早道なんです。

池上　古典とは何十年、何百年にわたって人類がふるいにかけ、様々な読解を行ってきた「厳選オススメ品」ですからね。また、現代の書物でも、これは、という本は、必ず先人の議論をきちんと踏まえています。

佐藤　そこで本書では、現代の問題を、いわば練習問題にして、さまざまな古典などを参照しながら読み解いていこうと思います。

池上　この章では、斎藤幸平さんの『人新世《ひとしんせい》の「資本論」』（集英社新書）、白井聡さんの『主権者のいない国』（講談社）、デヴィッド・グレーバー氏の『ブルシット・ジョブ　クソどうでもいい仕事の理論』（岩波書店）を取り上げてみようと思います。

三冊ともマルクスに関係してくるのですが、これらを通してマルクスの新しい読み方と新しい仕事論について考えていきます。

■SDGsは現代版「大衆のアヘン」

池上　まず、斎藤幸平さんですが、私たちは二人とも彼と対談しているんですね。最初に佐藤さんがお会いになった。

佐藤　ええ、とても頭のいい人でした。

池上　『人新世の「資本論」』は四〇万部を超えるベストセラーになっていますが、裏表紙には佐藤さんが「斎藤はピケティを超えた。これぞ、真の『21世紀の「資本論」』である」という言葉を寄せていますね。

佐藤　彼は日本の知識人として久しぶりに現れた強靭な思考力の持ち主ですね。

池上　私も本を読んでこんなに知的な興奮を覚えたのは久々のことでした。では、この耳慣れない「人新世」という言葉を説明しておきます。

　これは約二〇〇年前の産業革命以降、「人類の経済活動が地球に与えた影響があまりに大きいため、地質学的に見て、地球は新たな年代に突入した」として、ノーベル化学賞受賞者のパウル・クルッツェンが名付けたものです。「人間たちの活動の痕跡が、地球の表面を覆いつくした年代」という意味です。

『人新世の「資本論」』という書名は、「『資本』は無限の増殖を目指すけれども、『地球』は有限であって、この矛盾が『人新世』の危機の本質だ」というメッセージなんです。

佐藤　それがどういう危機なのかと言うと、「土壌汚染」「海洋汚染」など〝自然〟に関わってくるわけですけれども、まずは喫緊《きっきん》の課題として「気候変動」があるということですね。

池上　はい。地球環境への負荷は限界に達していて、その原因は究極に発達した資本主義にある。つまり、人類は資本主義の限界も迎えているわけです。本書にはこうあります。

「無限の経済成長を目指す資本主義に、今、ここで本気で対峙しなくてはならない。私たちの手で資本主義を止めなければ、人類の歴史が終わる」

　かなり怖い脅し文句なんですが、科学者たちが目指しているのは二一〇〇年までの気温上昇を産業革命以前と比較して一・五℃未満に抑えることです。そのためには二〇三〇年までに二酸化炭素排出量をほぼ半減させ、二〇五〇年までに純排出量をゼロにしなくてはならない。二酸化炭素の排出量を減らさなければ、実際に人類がこのまま生存できるかどうかはわからないというわけです。

佐藤　二〇二一年のノーベル物理学賞を受賞した真鍋淑郎《しゅくろう》さんの研究は大気の変動を数式で表現するものでした。これが現在の二酸化炭素と地球温暖化の関係の分析に役立っているというわけです。

池上　五〇年以上も前から進めていた研究が今になって認められたわけですから、ノーベル賞にもトレンドがあるということでしょう。

佐藤　それで、菅《すが》前内閣は脱炭素化に向けた「グリーン成長戦略」を発表しましたが、斎藤さんはそんなものはまやかしだと厳しく批判しています。

池上　ええ。衝撃的だったのは「はじめに」のところです。

「国連が掲げ、各国政府も大企業も推進する『ＳＤＧｓ（持続可能な開発目標）』なら地球全体の環境を変えていくことができるだろうか。いや、それもやはりうまくいかない。政府や企業がＳＤＧｓの行動指針をいくつかなぞったところで、気候変動は止められないのだ。ＳＤＧｓはアリバイ作りのようなものであり、目下の危機から目を背けさせる効果しかない。

かつて、マルクスは、資本主義の辛い現実が引き起こす苦悩を和らげる『宗教』を『大衆のアヘン』だと批判した。ＳＤＧｓはまさに現代版『大衆のアヘン』である」

「環境や地球の未来のことを考えたらＳＤＧｓは大事だよね」っていうのが広がってきた一方で、「いや、それだけで何とかなるわけ？」という疑問も出てきた。さらには、大手町や丸の内のサラリーマンが、みんなＳＤＧｓのバッジを付けている現状がある。
日本の大企業が大挙してＳＤＧｓに取り組んでいること自体がなんとなく胡散臭《うさんくさ》い。だけど、どこがどのように胡散臭いのかなって思っていたときに、斎藤さんがこんなのはアヘンだ、何の役にも立たないと言い切ったわけです。

佐藤　たしかにＳＤＧｓのバッジなんて、みんなが付けていて、ハーケンクロイツとか金日成バッジみたいですよね。

池上　いま日本では、あのバッジを付けていることが一流企業の印になっちゃっているんですよ。六本木や新橋ではあまり付けていないんですが、大手町や丸の内では多くの人が付けていますから。

佐藤　『資本論』第一巻第八章の工場法のところに出てきますが、あまりに搾取を強めると、資本主義システム自体が成り立たなくなる。だから国家が介入してきて、労働時間を制限するとか、少年労働を禁止したりする。これはＳＤＧｓの構造と似ていますね。

池上　おっしゃる通りで、今後、資本主義そのものが持続可能かどうかが議論になってくるからこそ、大企業自体も危機意識を持つようになったということですね。
で、とりあえず、ＳＤＧｓと言っておけば、自分の会社の本質にかかわってこない程度だったら、イメージとしていいよねという、そんな使われ方をしているような気がします。

佐藤　逆に言うと、難関大学を出て大企業に入れば安泰だとする人生が成り立たなくなってきたということが見えてきたからです。なんかわからないけれども、とにかく社会の構造に問題があるんじゃないかという、自己責任論の新たな裏返しですね。自分のせいじゃない、社会のせいですとしてしまえば心地いいですから。

本当は斎藤さんは、こういう社会になったのも、あなた自身のせいなんですよと言っているんですけどね。

池上　さらに言うと、環境や今の私たちの暮らし自体がこれでいいのかという問題設定だから、そこにはイデオロギーの匂いがしないんです。言っていること自体はものすごくラジカルなんですが、この本を読んでいたからといって、あいつはアカだとか、危険だとか言われずに済む部分はありますね。

佐藤　それは逆に、強さであるとともに弱さでもあるんです。危険視されないのは、前衛※党という考え方が入っていないからです。

※レーニンの革命理論で、階級や労働大衆から区別された、鉄の規律に服する少数の職業革命家からなる党組織。

日々、給料をもらって仕事をしていると、資本主義のイデオロギーに侵されてくるわけです。すると、その枠内でしか思考できなくなるから、外からの刺激がないと世の中は変わらないというのは、レーニン（ウラジーミル・レーニン、ロシアおよびソ連の革命家・政治家、一八七〇～一九二四年）の考え方ですよね。それはインテリがやることであり、あるいは、外から変わる契機というのは実際は戦争です。そこから革命が生まれてくることになる。

しかし、斎藤さんの主張は、そうした外の契機に頼らないで、一人ひとりが生活のあり方を根本から改めて、低成長に入っていく。これは一見、受け入れやすい主張のように見えます。

■グレタ・トゥーンベリと三・五％の人間の抗議活動

池上　斎藤さんは「気候変動のための学校ストライキ」を決行したスウェーデンの一〇代の環境活動家グレタ・トゥーンベリさんの訴えに触発されたと言っています。

佐藤　グレタさんのように、すぐに立ち上がれという形で、例えば都立西高や都立国際高校の生徒たちが金曜日に経産省の前に来てプラカードを掲げていることを、朝日新聞はけっこう褒《ほ》めて書いていますよね。それで国際高校の先生が、「一人の人間としては応援したいが、教師としては授業を欠席するのを応援できない」とコメントしたことを載せているんですが、それはちゃんと説明しなければダメだと思うんです。

課外の時間でやるのならともかく、授業をボイコットする理由にはならない。それだったら学校をやめて専従活動家として行きなさいと言うべきです。たしかにこの問題は急ぐんです。急ぐんだけれども、一週間以内にどうこうする問題ではない。その現場に行ってすぐに解決できる問題でもない。一生をかけて取り組まなくてはいけない問題なんですよ。

そうであるなら、将来、どういう職業に就くか、どういう大学に進学するかを考えさせる。エンジニアとして取り組むのか、環境学者として取り組むのか、あるいは政治家なのか、いろんなアプローチがあるから、その専門知をつけるためにどういう大学に行くかを考えて準備をさせるという方向で誘導するのが、私は教師の仕事だと思うんです。こういう意味でも斎藤さんが投げかけた問題点は大きいんです。

ついでに言っておきますと、本書に「三・五％」の人間の抗議活動の話が出てきますよね。

池上　ええ、本の「おわりに」のところで、「『三・五％』の人々が非暴力的な方法で、本気で立ち上がると、社会が大きく変わる」というハーバード大学の学者の研究に触れています。フィリピンのマルコス独裁を打倒した「ピープルパワー革命」やシェワルナゼ大統領を辞任に追い込んだジョージア（グルジア）の「バラ革命」を挙げています。

佐藤　それは見方が逆だと思いますね。今の権力というのは、三・五％ぐらいの人が街頭に出てくることを物理的、イデオロギー的に阻止できる力を持っているんです。

　裏返すと、三・五％も人が街頭に出てきちゃうということはどういうことかというと、もう破綻国家の状態にあるということなんです。だから順番が逆なんですね。通常、国家が機能しているときには、そういうことは起こり得ないんです。

池上　因果関係が逆ってことですね。

佐藤　ええ。体制が崩壊しているから三・五％の人が集まることができるし、体制が転換される。体制が崩壊していなければ、そういうことはないんです。

池上　なるほど。

佐藤　それで、話を戻すと、一人ひとりが考えを変えて、行動を改める。そうすれば社会は変わっていくというのは、これはむしろ宗教の領域なんですね。

池上　それは斎藤さんが個人の意識の変革について語っている部分ですが、それだけでは終わらないところが彼の優れたところです。ここから『資本論』につながっていきます。

■「脱成長」による「豊かさ」とは

池上　なぜいまマルクス（カール・マルクス、プロイセン王国出身の哲学者・経済学者・革命家、一八一八〜一八八三年）の『資本論』なのか。マルクスほど資本主義の本質について考えた思想家はいないからだと斎藤さんは言うわけです。こういう若い人が新たな視点で、改めてマルクスに焦点を当ててくれるのはすばらしいことだと思います。

佐藤　同感です。日本でマルクスを読む人は、講座派※（日本共産党系）、労農派※（非共産党系）、あるいは『資本論』を科学の書として論理整合的に再解釈する宇野（弘蔵）学派など、ある種の型にはまった読み方をします。ところが斎藤さんは、そうした日本の因習的な桎梏《しっこく》から自由な地平でマルクスを読んだ。アメリカやヨーロッパの自由な読み方を持ってきたところに意義があるんですね。

※マルクス経済学者の野呂栄太郎や山田盛太郎を中心とし、まずは天皇制を打倒する民主主義革命を起こし、次の段階で財閥などの資本家を倒す「二段階革命論」を唱えた人々。日本資本主義における封建制の残存を強調した。

※政治雑誌『労農』に執筆していたことから「労農派」と呼ばれた。中心人物は向坂逸郎《さきさかいつろう》、山川均《ひとし》、堺利彦らで、戦後の日本社会党の理論的支柱となる。講座派の主張する「二段階革命論」を否定し、資本主義体制を解体すれば社会主義革命は成就するとした。

池上　彼がマルクスを読み始めたのはアメリカ留学時代です。新しい読み方をする上では、マルクスの膨大な新資料が発見されたことが大きいわけです。

佐藤　ええ。『資本論』は一巻、二巻、三巻でできているんですが、原稿が書かれた順番は三巻、二巻、一巻です。第一巻は一八六七年に刊行されて、第二・三巻はマルクスの没後に刊行されますが、未完の遺稿をエンゲルスが編集した。特に第三巻はメモや着想だけのところに、エンゲルスがマルクスとは違う見解を勝手にワァーと書き加えているので、どう読んだらいいのかよくわからないところがたくさんあります。新資料からマルクスにアプローチし直して、『資本論』を読んだのが斎藤さんなんです。

池上　特にドイツでは、この二〇年間で、マルクスのさまざまな「草稿」や「研究ノート」が刊行されるようになった。斎藤さん自身も『新マルクス・エンゲルス全集』を編纂する国際プロジェクト（ＭＥＧＡ）に参加しています。そして、それらの新資料から見えてくるのが「最晩年のマルクス思想」です。

それは理論的な大転換とも言えるもので、資本主義を批判したこの大転換は現行の『資本論』からは読み取ることができないというわけです。最晩年のマルクスの「コミュニズム」理念は、『共産党宣言』（一八四八年）の頃とは大きく変貌して、いわば「脱成長コミュニズム」になったんだとしています。

佐藤　その「脱成長」と「脱資本主義」によって、「潤沢さ」や「豊かさ」を取り戻すというところが新鮮なポイントですね。

池上　そうですね。「脱成長」は、私たちの暮らしや生活自体を大きく変えようというきわめて革命的な提案なんです。

　私たちは、とにかく成長することによって豊かになってきたと思っている。資本主義にはいろいろな問題があるけれども、豊かになるんだから、これを手直ししながらやっていかなきゃならないとも思っている。あるいは生産力主義といって、例えばソ連でも中国でも、社会主義のもとで生産力を高めていくことを目指しました。それはやがて共産主義につながっていくんだから、とにかく生産力を高めろと。その途中経過で、人間的な疎外が起きたり、過酷な労働があったりしても、目をつむりながら生産力を高めることが共産主義への近道だとしてきたことを、根底から覆《くつがえ》すものだろうと思います。

それともう一点は、ソ連にしても中国にしても、生産力至上主義から自然を改造してきたわけです。ソ連ならアラル海が干上がってしまったり、中国ならとてつもない規模の三峡ダムをつくって非常に危険な状態になったりしている。環境のことを一切視野に入れないで、豊かさを求めた結果がこれなんです。すると、「脱成長」論というのは、従来あった社会主義圏のやり方自体を、ドラスティックかつラジカルに批判しているものなんですね。

佐藤　生産力至上主義というんでしたら、例えば日本共産党が二〇二〇年に改定した最新の綱領はこうなっています。

「発達した資本主義国での社会主義的変革は、特別の困難性をもつとともに、豊かで壮大な可能性をもった事業である。この変革は、生産手段の社会化を土台に、資本主義のもとでつくりだされた高度な生産力、経済を社会的に規制・管理するしくみ、国民の生活と権利を守るルール、自由と民主主義の諸制度と国民のたたかいの歴史的経験、人間の豊かな個性などの成果を、継承し発展させることによって、実現される」

　高度な生産力は前提になっています。これは高度な資本主義社会から社会主義社会、その先に共産主義社会が実現されるとする古い図式に固執しているせいですね。

池上　じゃあ、「脱成長」なのに、どうして「豊かに」なれるんだという疑問があると思いますから、そこを解説しておきます。

私たちの感覚からすると、イメージとして「資本主義」は「豊かさ」に、「前資本主義」は「貧しさ」に結びついていますが、実際は逆で、「前資本主義」の方が「コモンズ」に結びついていたから豊かだった。では、「コモンズ」とは何かと言えば、水や電力、住居、医療、教育などの「公共財」のことです。そのところを本書では次のようにまとめています。

「コモンズとは、万人にとっての『使用価値』である。万人にとって有用で、必要だからこそ、共同体はコモンズの独占的所有を禁止し、協同的な富として管理してきた。商品化もされず、したがって、価格をつけることもできなかった。コモンズは人々にとっては無償で、潤沢だったのだ。もちろん、この状況は、資本にとっては不都合である。

ところが、なんらかの方法で、人工的に希少性を作り出すことができれば、市場はなんにでも価格をつけることができるようになる。そう、『囲い込み』でコモンズを解体して、土地の希少性を作り出したように。（中略）

土地でも水でも、本源的蓄積の前と後を比べてみればわかるように、『使用価値』（有用性）は変わらない。コモンズから私的所有になって変わるのは、希少性なのだ。希少性の増大が、商品としての『価値』を増やすのである。
その結果、人々は、生活に必要な財を利用する機会を失い、困窮していく。貨幣で計測される『価値』は増えるが、人々はむしろ貧しくなる。いや、『価値』を増やすために、生活の質を意図的に犠牲にするのである。
　というのも、破壊や浪費といった行為さえも、それが希少性を生む限り、資本主義にとってはチャンスになるからだ。破壊や浪費が、潤沢なものを、ますます希少にすることで、そこには、資本の価値増殖の機会が生まれるのである」

佐藤　このような資本主義を解体し、共産主義（コミュニズム）に転換することを斎藤さんは主張するわけですね。

池上　ええ。ですから、私は「コミュニズム」というよりも「コモンニズム」の方がわかりやすいんじゃないかと斎藤さんに言ったんですね。

■ローマクラブと『清貧の思想』

佐藤　私はローマクラブ※が、一九七二年の第一回報告書として出した『成長の限界』※を思い出しますね。

※スイスのヴィンタートゥールに本部を置く民間のシンクタンク。

※現在のような人口爆発と経済成長が続いた場合、一〇〇年以内に地球の成長は限界に達するとした報告書。

池上　ええ、私も斎藤さんの本を読んでそれを思い出しました。

佐藤　あのとき、例えば鎌倉孝夫さんのようなマルクス経済学者は、「成長の限界」について、※スタグフレーションで説明したのがいちばん典型的な例です。マルクス主義者たちの対応はと言えば、階級的な危機というものを、人類的な危機に転嫁しちゃっていると指摘しました。

※景気後退の中でインフレーションが同時進行すること。

池上　話をすり替えていると。

佐藤　ええ。ローマクラブは環境問題と資源枯渇問題を提起してきたんですが、それは階級というものに対する目を曇らせるために出してきた、体制の危機を全人類の危機の話にすり替えているというすり替え論で処理したんですね。

池上　なるほど。

佐藤　この環境問題に比較的早く気付いたのは、実は、立花隆なんですよ。彼が『思考の

技術 エコロジー的発想のすすめ』（中公新書ラクレ）を出したのは、『成長の限界』の一年前ですからね。そこで立花は、自分は共産主義者ではない、しかし反反共主義者はイヤなんだと。強いて言うのならば自分はエコロジストであるということを強調して、環境制約※の話をしています。

※大気・水質・土壌などの汚染防止、地球温暖化防止、化学物質管理など、ものづくりを行う上で対応が求められる各種の環境面における制約。

晩年の廣《ひろ》松《まつ》渉《わたる》（哲学者・東京大学名誉教授、一九三三〜一九九四年）も資本主義の環境制約の話をしていますね。それから宇野派から出てきた玉野井芳郎（経済学者・東京大学名誉教授・沖縄国際大学教授、一九一八〜一九八五年）もそうです。こうした系譜は、環境を問題にする方面には陸続としてあるんです。

池上 斎藤さんの問題意識や危機意識は、たしかにローマクラブと共通しているものがあるんです。だけど、それを経済学的に分析するという点で、斎藤さんは優れていると思いましたけどね。

佐藤 池上さん、こうした問題意識を政治でまったく吸収できないのは、どうしてですかね。例えば、立憲民主党とか国民民主党とかが、斎藤さんの問題提起に飛びつけばいいじゃないですか。

池上　いやいや、それをやると支持者が反発するでしょうね。支持している労働組合にしてみれば、今の資本主義社会のままでもっと豊かな生活が欲しいと思っているわけですから。

佐藤　日本にはどうしてドイツの「緑の党」みたいなものが出てこないのかということも併せて、非常に興味深いですね。しかし、制度化された政治のシステムに入れないと、いくらいいことを言っていても現実には影響を与えないという側面はあるかもしれません。

池上　政治という形とはなかなか連動しにくいですね。

佐藤　東西冷戦終結後、日本の場合にはアカデミズムと政治の間の距離が、いつの間にこんなに開いちゃったんだろうと思うぐらい開いていますよね。それは御用学者が増えていることと表裏なんです。

　私が官僚だったら、斎藤さんの発想を、例えば核融合エネルギーと結び付けたらどうなのかということを考えますね。彼と議論するときにはエネルギー問題をどうするかという点は重要だと思います。

池上　太陽光や風力などの再生可能エネルギー、あるいは市民電力では到底足りませんからね。

佐藤　それからもう一点指摘しておきたいことがあります。「支配者階級の思想は、いつの時代にも支配的思想である」と、マルクス／エンゲルスは言っていますね。つまり、資本主義社会において、金持ちを相手に喧嘩をするというのは大変なことなんです。だから、金持ちをうまく巻き込まないといけません。

いずれにしても、消費を減らし、欲望を抑制できるということは、ある種、ヴィーガニズム（完全菜食主義）にもつながると思うんです。だからどちらかと言うと、知識人で富裕層の間に出てくる意識なんじゃないんでしょうか。

池上　それで言うと、中野孝次の『清貧の思想』※（文春文庫）のことを斎藤さんに話すと、彼は自分が考えているのはそうじゃないんだと言うんですね。斎藤さんはあくまでも「豊かさ」を目指しているから。しかし、斎藤さんの言っていることを実現するにはどうしたらいいのかと言うと、清貧の思想の再確認になるような気がちょっとするんですよ。結局は、自分の欲望をどのようにコントロールするかということですから。

※西行・兼好・芭蕉といった風流人たちの生き方を紹介しつつ、「清貧」を尊ぶライフスタイルを提唱した。

バブル崩壊直後の一九九二年に刊行された『清貧の思想』は市場原理主義に対するアンチテーゼでもあったわけです。日本には、こういう思想を受け入れようとする土壌がちょっとありますね。だから、斎藤さんの主張は、清貧に共感するような人たちにとってはとても受け入れやすいと思います。

佐藤　斎藤さんの本では、具体的な敵の顔がないでしょ。誰かを引きずり下ろせとかじゃなくて、環境や地球生態系とか、問題を外に転嫁するんじゃなくて自分の中の問題だよと。具体性に欠けるところが逆に強さなんだと思いますよ。

池上　そうですね。ここ数年、ポスト資本主義という言葉がずっと言われてきて、いろんな本が出ている中で、『人新世の「資本論」』はとっても上品なんですね。一人ひとりの生き方が問われるという実は大変厳しいことが書いてあるんだけれども、なんとなく「このままじゃいけない、なんとかしなければ」という気になってくる。

佐藤　とは言え、この先、どうやって世の中を変えていったらいいのか、よくわからなくて斎藤さんは悩んでいると思いますよ。例えば、グレタさんのことにしても、一〇代の若さが資本主義システムの中で一つの商品になっているわけで、それを突き放して見る目が彼にはあると思うんです。私は革命論よりも、斎藤さんの傑出した能力を『資本論』の解釈に費やして欲しいと思っていますけどね。

■階級闘争史観による怒り

池上　それでは、白井聡さんの『主権者のいない国』に移ります。この本は、白井さんがその時々のトピックスについて、『論座』や『サンデー毎日』などに寄稿した文章を一冊にまとめたものです。

佐藤　ひさかたぶりに階級闘争史観で書いたもので、私はいい本だと思いました。「高校野球と階級闘争」の項は傑作なんです。二〇一七年に『日刊ゲンダイ』に載った二人の高校野球の監督の論争を取り上げたものですね。

池上　あれは実に面白いと思いました。要はこういうことです。

　福岡代表で県内有数の進学校である東筑高校の監督によれば、「『勉強重視』というより『勉強の学校』」であるこの高校の練習時間は短くて、生徒の自主性を重視し、伝統的なスポ根路線の対極にある。監督がこう言った。「『野球（部）は人間力を育てるところ』なんて言うけど違う。悪さをしないために野球をやってるみたいな学校もあるでしょう。でも、野球に縛られたものが外れたら結局ダメになりますよ」と。

その五日後に、山口県の代表、下関国際高校の監督の反論が載るんです。

「同校では、練習は朝五時から行ない、終わりは二三時に及ぶこともあるという。『自主性をうたう進学校』に対しては『そういう学校には、絶対負けたくない』、『僕ね、「文武両道」って言葉が大嫌いなんですよね。あり得ない』と語り、『自主性というのは指導者の逃げ。「やらされている選手がかわいそう」とか言われますけど、意味が分からない』と真っ向から異を唱えた」

この反論はまさに「階級闘争」の言葉だと白井さんは分析するんです。

佐藤 白井さんはレーニンの研究者ですが、エッセイストとしての才も優れていますね。こういう論争に入っていくセンスは、河上肇《はじめ》（マルクス経済学者、一八七九～一九四六年）の系譜に近いのかもしれません。

池上 一種のマルクス主義的な視座を使って現代社会を書くということですね。

佐藤 そうです、『貧乏物語』みたいな感じです。だから、白井さんは根っこにおいてはヒューマニストなんでしょう。私みたいに、人間なんてほっとけば悪いことをすると思っているアンチヒューマニストとは違いますね（笑）。

池上 そのヒューマニズムが発揮されたのは第一章の一です。なにしろタイトルが「日本史上の汚点としての安倍政権」ですから。本文はこう始まります。

「安倍政権の七年余りとは、何であったか。それは日本史上の汚点である。

この長期政権が執り行なってきた経済政策・社会政策・外交政策等についての総括的分析は、それぞれの専門家にひとまず任せよう。本稿で私は、第二次安倍政権が二〇一二年一二月に発足し二〇二〇年九月一六日に至るまで続いたその間にずっと感じ続けてきた、自分の足許が崩れ落ちるような感覚、深い喪失感とその理由について書きたいと思う。こんな政権が成立してしまったこと、そしてよりによってそれが日本の憲政史上最長の政権になってしまったこと、この事実が喚起する恥辱と悲しみの感覚である」

そして、結論はこうです。

「安倍晋三によって私物化された日本を取り戻すという民衆のプロジェクトは、いま確かにひとつの成果をあげたのである。私たちは、選挙はもちろんのこと、デモ、ＳＮＳ等、あらゆる手段を通じて声を発し、公正と正義の実現に向けてさらなる努力を重ねる必要がある」

佐藤　白井さんが言っているのは、自民党が階級政党化したということです。小泉改革以降、特に安倍政権以降、ブルジョワジーの利益しか体現しない階級政党になった。フィクションとして持っていた国民政党ではなくなったんだと。

白井さんの場合は、やはり国家権力を奪取することがいちばん重要だということになるんです。階級抑圧のない国家をつくるために、過渡的に抑圧者階級を抑圧するプロレタリア独裁をやろうという、こういう話です。

池上　文章がこれだけ闘争的なのもそのためですね。

佐藤　本人は温厚な人なんですが、言語ゲームに入っちゃうと、けっこう乱暴になっちゃいますね。

池上　ここでまとめておきますと、佐藤さんはさきほど斎藤幸平さんの本には具体的な敵の顔がないとおっしゃいましたが、白井さんの場合は明確に、安倍や菅を倒せという方向性がありますね。

佐藤　白井さんの場合は、打倒目標を作る。やはり闘争というものはそういうものであると。斎藤さんの場合は、敵の顔がない分、革命へのエネルギーは出てきにくいわけです。今後、斎藤さんと白井さんのどちらの思想が革命につながるのか、あるいは両方とも革命につながらないのか、今、非常に微妙な位置にあるとも言えるでしょう。

池上　だから、この章の二冊は、ある意味、現代日本の革命思想の二つのパターンなんですね。

佐藤　その通りです。斎藤さんの方は、「世界システム論」※を提唱したイマニュエル・ウォーラーステイン（アメリカの社会学者、一九三〇～二〇一九年）を想起させるし、戦前からの系譜ならば労農派に近いと言えるでしょう。要するに、世界全体が同じ質の危機に見舞われている。それは日本の特殊性ではないんです。

※近代以降の世界全体を単一の世界資本主義体制として捉え、その生成や歴史を研究することで、政治経済、国家関係、世界秩序などを究明しようとする理論。

白井さんの場合は、安倍とか菅とか、とんでもないのが出てくるのは、日本の特殊性であって、それをひきずりおろさなきゃダメだということなんですね。

池上　でも、白井さんぐらいこの国の政治に対して本気で怒っている人がいるというのは大事なことですよ。

■疎外論と窮乏化論

池上　では、最後の『ブルシット・ジョブ　クソどうでもいい仕事の理論』ですが、著者のデヴィッド・グレーバー氏はニューヨーク生まれの文化人類学者です。

タイトルになった「ブルシット」の「ブル」は「詐欺、欺瞞《ぎまん》」「みせかけ」というような意味で、それに「シット」の「クソ」がついているんです。

佐藤　「ブルシット・ジョブ」は著者の造語ですね。

池上　ええ、最初にその定義を紹介しておきます。

「暫定的定義＝ブルシット・ジョブとは、被雇用者本人でさえ、その存在を正当化しがたいほど、完璧に無意味で、不必要で、有害でもある雇用の形態である。

　暫定的定義その二＝ブルシット・ジョブとは、被雇用者本人でさえ、その存在を正当化しがたいほど、完璧に無意味で、不必要で、有害でもある雇用の形態であるが、とはいえ、本人は、そうではないと取り繕わなければならないように感じている。

　最終的な実用的定義＝ブルシット・ジョブとは、被雇用者本人でさえ、その存在を正当化しがたいほど、完璧に無意味で、不必要で、有害でもある有償の雇用の形態である。とはいえ、その雇用条件の一環として、本人は、そうではないと取り繕わなければならないように感じている」

　一例を挙げておきます。

「ボストンにある金融コンサルティング会社の『ニセ投資銀行家』を自称するルイスは、

現在ある芝居の制作に取り組んでいる。会社での自分の役割が基本的に無意味であることに気づいたとき、かれはやる気を失いはじめ、それにともなって一日に一、二時間は必要な仕事に集中する能力も失いはじめた。上司は時間と『見かけ《オプティクス》』にはうるさかったが、生産性にはまったく無頓着なようであった」

　ブルシット・ジョブを具体的に言うと、特にアメリカの例えばウォールストリート、あるいは投資銀行やコンサルタント業や企業弁護士事務所の人たちは、非常にブイブイ言わせていても凄く給料も高い。外側からは一見、憧れの仕事のように見えるんだけれども、実際にそこで働いている人たちって、実は自分は何のためにこんなことをやっているんだろうかと言って、自己嫌悪に陥ったり、辞めたいと思ったりしている人たちもいるんだ。ホントにどうでもいい仕事だってことです。

佐藤　これは資本主義システムの上層部の人たちの問題ですね。

池上　ええ。これを今の日本に置き換えると、緊急事態宣言が出て在宅勤務をすることになったときに、このどうでもいい仕事って、在宅勤務に向いているんです。それに対して、エッセンシャルワーカーと言われる、本当の意味で社会を支えていくゴミの処理や清掃に携わる人たちは、現場に出て行かざるを得ない。自分の命が懸かってくる。実はそういう人たちによってこの社会が成り立っていることに、私たちは改めて気づかされた。
　しかし、エッセンシャルワーカーは給料がとっても安い。一方、社会の役に立たない仕事で高給を貰っている人は、豊かな生活ができているようで、実は精神的には非常に虚しい。人間って社会的な存在ですから、金持ちがそのことに気づいた途端、言わばエッセンシャルワーカーを搾取する側に立っている人たちも疎外された労働をしているってことですね。

佐藤　そうですね。多くの日本人がそう思ったはずです。

池上　マルクスは『経済学・哲学草稿』で、精神活動と肉体労働、これらが一体化した本来の人間の生き方になっていないんじゃないかということを問題にしたわけです。『ブルシット・ジョブ』は、様々な仕事の例をもとにして、その疎外論を明らかにした。この本の意味はそこにあるんじゃないでしょうか。

佐藤　マルクスの疎外論は、日本の高度成長期において、非常に影響力がありました。資本主義によって貧しさから抜け出すのは間違いないけれども、これが本当に人間としての仕事なのかという意味です。
　ところが、今は格差が激しくなったために、疎外論が後退してしまって、代わりに出てきたのがマルクスの窮乏化論※なんです。かつては窮乏化論なんていうものでは、現代社会に対応できない、古いと言われました。なぜなら豊かな社会が成立しているじゃないかと。

※資本主義社会では、生産の増大が社会的な富を増やし、資本家には資本の蓄積をもたらすが、同時にそれは労働者を窮乏化させ、貧困をもたらすという理論。

池上　ええ、特に高度成長期に、窮乏化論は当てはまらないってかなり言われたんですよ。『資本論』で絶対的な貧困になると論じているんですが、豊かになっているんだから『資本論』は間違いだとされたんです。それに対する反論の一つとして、相対的窮乏化論というものが出てくるんです。たしかに絶対的には窮乏化していないけど、豊かになる過程で格差が広がって、相対的に窮乏化する人がいるんだから間違いではないとしてマルクスを擁護したんですね。

　ところが、二〇二一年のいま現在、本当に食べられない人がいたり、子ども食堂がどんどん広がったりしている側面を見ると、絶対的窮乏化論は当たっているんじゃないのということですね。

佐藤　だから、今、マルクスが注目されているのは、疎外論と窮乏化論の両方ですね。そのどちらに注目するかは人によって凄く違っています。

■ディープステートは存在する!?

佐藤　『経済学・哲学草稿』について補足しますと、ここで述べられているのはわかりやすく言うと女衒《ぜげん》の構造なんですよ。

池上　と言いますと?

佐藤　たしかに女衒は儲かるかもしれない。しかし、女性を苦界《くがい》に落として搾取して儲けているわけです。では、その虐げられた女性が成り上がって自分が女衒になれば、解決する問題かと言えば、そうではない。女衒のような商売はやめる。そうすれば、苦界に身を沈める人もいなくなるし、女衒でカネを儲けて、こんなことでいいのだろうかと思い悩む人もいなくなる。つまり、女衒という構造そのものを変えなくてはならないということです。

池上　なるほど。これを例えば二〇一六年のアメリカ大統領選に置き換えてみると、きれいごとを言って結果的に凄い高給を貰っているエリートたち、「彼らに虐げられている俺たち労働者の本当の味方はトランプだ」ということにつながって行った。そして、トランプを支持する貧しい労働者たちから見ると、トランプ政権の裏側に※ディープステートがあるように思えてしまう構造なのかなと思いましたね。

※官僚やFBI、司法省などの勢力が裏で糸を引いているとされる闇の政府のこと。

佐藤　それはおっしゃる通りで、やっぱりディープステートってありますからね。

池上　ホントですか!?

佐藤　いや、トランプ政権の背後に転覆をたくらむ闇の政府があったということじゃないですよ。日本で言うと例えば、開成、麻布、筑波大附属駒場、そこにあるネットワークなんかは一種のディープステートですよ。政治的な立場が対立しているとか、あるいは労働運動の指導者ならば資本家と対立しているはずなんだけれども、公式なルートではなくて属人的なネットワークによって、いくつかの難しい問題が解決されるし、政策や意思の決定がなされる。こうした現象はどの国でも非常に増えてきていると思います。

池上　岸田文雄首相は開成高校卒であることに自負を持っていて、開成高校人脈を生かそうとしていますしね。

佐藤　ディープステートって言うと陰謀論のように聞こえるでしょうが、最近の霞が関において特に強く感じるのは、高校のネットワークはもの凄く強いという現実です。なぜ大学じゃなくて高校なのかと言うと、大学時代の人間は関係が薄くなってしまったからなんです。だから、高校のネットワークに頼る。これはまさにディープステートです。本来ある意思決定機関と違うところで意思が決まっていくわけですから。

池上　それを大学レベルで言うと、例えば慶應義塾大学の三田会ですね。

佐藤　たしかにそうです。

池上　三田会はもちろん霞が関には多くはないんですが、民間のビジネスのいろんな会社にしっかり根を張っています。その三田会の中での横の意思疎通で、いろんな話が決まったり、意気投合して新しい事業をはじめたりすることが結構あるんです。

　驚いたのは、この前知ったんですが、早稲田三田会っていうのがあるんですよ。

佐藤　早稲田大学の三田会ですか？

池上　早稲田大学で教えている慶應出身の教職員らによってつくられた三田会なんだそうです。ビックリ仰天ですよ。

佐藤　早稲田のビジネススクールなんか、慶應出身者が多いですからね。

池上　私はああいう組織が大嫌いなので、いっさい関与していませんし、そういう誘いも断っているんです。突然、「いや、塾のご出身だそうで」と近づいて来られたりすると、ゾッとしますね。

佐藤　それは早稲田で言えば、高等学院ですね。それから意外と、みんな気づいていませんが、埼玉県の本庄高等学院ですよ。

池上　あ！　なるほど。

佐藤　本庄高等学院に子どもを通わせる親って、富裕層ですから。どうしてかと言うと、練馬区上石神井の高等学院と両方受かったら、一〇〇%、上石神井に行きますよね。本庄高等学院に通わせるのは「本庄早稲田駅」で乗降する新幹線定期代を払える家庭か、もしくは高校から下宿代が払える家庭なんです。しかも共学でしょう。

　本庄高等学院ネットワークは、マフィアのように絆が強固なものですよ（笑）。卒業生同士で結婚する男女もいますしね。

池上　慶應幼稚舎出身の絆も相当に強いものですよ。

佐藤　その類《たぐい》のものはどの国にもあって、韓国だったらやっぱり出身地と卒業した高校なんですね。

池上　兵役の同期とかも絆が強そうですね。

佐藤　ディープステートと言うと、荒唐無稽に思うかもしれませんが、それが〝見える化〟していないだけの話だと思います。みんなそれに気づかないし、知ったところで文句を言わないから、逆にディープステートが意外と暗躍できているのかもしれません。

池上　アメリカでも、ハーバード、プリンストン、イェール、コロンビアとか、東部の名門私立八大学のアイビーリーグというのがありますよね。例えば、イェール大学には「スカル・アンド・ボーンズ」という秘密結社があって、ブッシュ父子大統領や歴代のＣＩＡ長官を出していたりします。

　各大学に秘密結社があるんですが、そこに入ることが超エリートの第一歩とも言われています。その連中は卒業した後も、異様な連帯感がある。それはまさにディープステート的な役割を果たしていますよね。

　トランプは、そこに入れなかったコンプレックスを持っているのではないかという分析もあります。

佐藤　トランプがディープステートの中にいたりしたら、めんどうくさいですから。ああいう極端な人はディープステートには入れないと思うんですよ。

　主にヨーロッパで言うと、※フリーメイソンもありますね。そんなにおどろおどろしい組織じゃないですが。ただ、何か重要な問題が属人的なネットワークで解決されることが増えるのは、行政の複雑化と国際化のせいでしょう。大統領制化と言われる行政権の優位も関係していると思います。要するに、ディープステートで物事を解決するのは、そうした民主的な手続きをショートカットしたいからなんでしょうね。

※一八世紀初頭のイギリスで始まった世界主義的、人道主義的な友愛団体。その起源は中世のメイソン（石工）のギルドにある。

考えようによっては、これはもの凄く危ないことなんです。たまたまディープステート的な人間が利権漁《あさ》りとかをあまりやらないタイプだったらいいんですが、逆のタイプだったら何でもできちゃいますから。

池上　トランプはそのディープステートによるショートカットをズタズタにしてくれるというイメージだった人ですね。

■『資本論』は資本家が読むもの

池上　『ブルシット・ジョブ』に話を戻すと、搾取されている人はもちろん、搾取している人も疎外されているわけです。

佐藤　それはマルクスの疎外論の大前提です。だから、搾取している人もされている人も解放するのが革命の目標となるわけです。

とは言え、エンゲルス自身は親がライン州北部のバルメンで繊維工場を共同経営する資本家の一員でした。イギリスのマンチェスターにも紡績工場を持っていました。マルクスはエンゲルスにおぶさっているから、その意味ではマルクスも資本家なわけです。エンゲルスの原点は、なんで自分の会社がこんなに儲かるのか、実はひどい搾取をしているからで、もう、こういう生き方はイヤだと。それが彼が共産主義者になる原点です。

マルクスはと言えば、エンゲルスにカネの無心をするのに、俺にプロレタリアートのような生活をしろと言うのかと脅すような人ですから。どう考えても、二人の生活はブルジョワですよ。

池上　資本家に寄生していますからね、マルクスは。

マルクスが『資本論』の疎外論で言っているのはこういうことです。資本家は搾取する側ですが、ふと気がつくと、資本の奴隷になっていて、資本の命じるままにやらなくてはいけない。どんなに人間的に労働者のことを思っていても、過剰な思い入れをしていたら会社が潰れてしまう。結果的に資本家自身も人間性を失う――。

今、資本家や搾取する側、おカネがあふれている側にいても、虚しさを感じていることがあるとするなら、それはまさしく疎外論の現代版なんですね。

佐藤　そして労働現場の実態は窮乏化論となる。つまり、マルクスの良さは、疎外論と窮乏化論の二つの顔を読むことができるところにあるんです。

　例えばスターリン（ヨシフ・スターリン、ソ連の政治家、一八七九〜一九五三年）には二つの顔はありません。スターリンは一つを読めば全部わかります。文体は教科書的で、ゴシック体を多用していて、重要なところは太い文字だけ読めばわかるようになっていますから。

池上　『資本論』が含んでいるメッセージとしては、資本家向けと労働者向けのものを含んでいる。ただし、実際に誰が読むかと言えば、資本家であると。

佐藤　フランシス・ウィーンが『今こそ「資本論」』（ポプラ新書）の中で言っているんですが、『資本論』は誰に向けて書かれているかというと、資本家見習い宛てであって労働者宛てではないと。それはその通りなんです。『共産党宣言』なんかは労働者向けですよね。

池上　だってね、実際、『資本論』というのは、持って回った言い方で、いろんな教養をひけらかし、過去のさまざまな神話や童話や寓話をちりばめながら書いてありますから、大変な教養人じゃないと読みこなせないはずですよ。

佐藤　同時代において普通の労働者が読んでいたのはラッサール（フェルディナント・ラッサール、ドイツの社会主義者、一八二五～一八六四年）の『労働者綱領』ですね。彼はあの時代において、マルクスを通俗化した人と見られていました。

ラッサールの考え方は、労働者の状況は大変だから、富は国が再分配するというものです。それで実際に権力を持っているのはビスマルク（オットー・フォン・ビスマルク、ドイツの政治家、一八一五～一八九八年）だからと言って、鉄血宰相に接近するわけです。

ラッサールが説くところの社会主義というのは、国家によって富を再分配して、労働者の力をつけて国力を増強していくことで、ビスマルクはそれをいい発想だと思うんですね。ただし、社会主義はダメだとして社会主義者鎮圧法を制定するんですけど、発想だけは取り入れて、社会保障制度などの社会政策を推進して、それがやがては社会民主主義の流れになっていくわけです。

池上　マルクスと違ってラッサールは実践系なんですね。しかも、ビスマルクにしてみれば、革命が起きないし国は豊かになるしで、一挙両得なわけです。

佐藤　そうです。だからラッサールの中には、マルクスの中にはぜんぜんない「国家と組む」という発想が出てくるんです。ラッサールはマルクスと一緒に活動していた時期があるとはいえ、金銭的なトラブルや思想上の食い違いで完全に決裂します。そして、最後は恋愛関係のもつれでルーマニアの貴族と決闘して、死んじゃいますからね。マルクスならいくら恋愛しても、やっぱり革命をしなければなりませんから、決闘で死ぬことはないでしょうね。

■メリトクラシーが行きつくところ

池上　『ブルシット・ジョブ』に書いてある議論には、思い当たる人が多くて反響があったようです。

佐藤　ただし、ひねくれた人間がこの本を読めば、こんなに稼いでいるのに自分のあり方に反省しているなんて、俺は立派な人間だというふうに自慢話として読むんじゃないでしょうか。

池上　あるいは、あんまり大した仕事じゃないのに、やっぱり俺はこんなに稼いでいるという確認として読むかです。

佐藤　あるいは、俺ってやっぱり高い問題意識を持っているんだと確認して自画自賛するかです。『ブルシット・ジョブ』に書いてあるのは、資本主義システムの上層部の人たちの問題だとさきほど言いましたが、街で言えば、ニューヨークの世界なんです。あるいはシリコンバレーにも似たところがある。

池上　東京もある程度そうでしょうね。

佐藤　ニューヨークを見ていますと、いろんなエッセンシャルワーカーとして入ってくる若い人がいるんですが、一定期間を過ぎたらニューヨークの外へ出ていく人が多いでしょう。残った人はホットドッグ屋でも作って、小さい店でも自立して中産階級に上昇していく。しかし、誰もが自分の境遇に不満を持ち続けているわけです。だから、資本主義が個人にもたらすものというのは暗いですね。その点、旧ソ連なんか、案外悪くなかったんじゃないかと思いますよ。

池上　そうなんですか？

佐藤　食べる物はあったし、ジュースが買えたときはホントに嬉しかったし。そのジュースを買うときも、ネズミのウンコが入っていないかどうかチェックして、入っていないのが三本も買えたらもの凄く嬉しいですからね。人間の欲望っていうのは、そのぐらい縮小しますから（笑）。

池上　今、ドイツにオスタルギー（Ostalgie）という言葉がありますよね。ノスタルギー

（Nostalgie）とオスト（Ost）を組み合わせた言葉で、オストはドイツ語で東ですから、旧東ドイツを懐かしむという意味です。それで、東ドイツ時代を再現したレストランがあるんです。私、行ったことがあるんですが、店内には東ドイツ時代のいろんなポスターが貼ってあったりします。東ドイツのステーキはちゃんとした肉がなかったので、ソーセージの中をばらして豚肉を固めたようなもので、いやあ、まずかったですけどね。

激しい資本主義化の中でくたびれ果てたときに、少なくとも東ドイツ時代はもっとのんびりできたよなというノスタルジーが湧くから、このような言葉が生まれるんでしょうね。

佐藤　東ドイツは西ドイツと違って何が良かったかと言えば、まず、就職の心配がなかった。五カ年計画に合わせて学生数も決めていたからです。専門教育と乖離《かいり》した職に就くこともなかった。

池上　大学を出れば、ちゃんと自分が専攻した専門職に就けるわけですね。

佐藤　だから無駄がないわけです。それで専門職よりも労働者の方が上ということになっています。政治には、高等教育を受けていない方が有利なんです。これは旧ソ連も同じです。フンボルト大学（ベルリン大学）、モスクワ大学は人文系エリートにとってはいい大学でした。医大は単科大学で、経済は専門の大学がある。政治エリートは工場からの叩き上げでつくっていく。

池上　なるほどね。

佐藤　その結果、何が起きたか。エリートの分散です。ところが東西ドイツが統一してしまうと、資本主義国と一緒で、学力の高い者を総取りすることになって、メリトクラシー（meritocracy）になってしまう。

池上　メリトクラシー、つまり、西側社会に普通にあるような、成績主義というか学歴社会になるわけですね。

佐藤　だから、この『ブルシット・ジョブ』を読んで思ったのは、やはりメリトクラシーが行きつく一つの悲しさですね。成績が良ければ本人の志望とは関係なく、投資銀行やコンサル会社に行かざるを得ない空気があります。なぜなら周りがみんな行くからです。そういう意味では、一流とされる大学生には、トレンドに非常に弱い側面がある。

日本だと、東京大学法学部にその傾向が強いですね。東大法学部の学生の特徴はトレンドに弱いことだと思うんです。例えばこれをやりたいから官僚になるということではなく、昔で言えば成績のいい順番から大蔵省に行くとかですね。優秀なのが官僚になるから自分も官僚になる。最近でこそ、官僚離れみたいな話が出てきていますけどね。

池上　それは納得できますね。官僚離れも一種のトレンドで、人気が外資系企業や起業家になることなどに移っただけでしょう。

佐藤　どうして東大法学部の学生がそういうところに流れていくのか。あるとき、元財務官僚の山口真由さんに、なんであんなところにこぞって行くんですかねと聞いたら、私は東大法学部のことしか知りませんがと前置きして、「それは佐藤さん、みんな、トレンドに弱いからですよ」と言うんですね。

　でも、トレンドというのは市場原理なんです。市場で、ここが勝者の行く場所だというものができると、成績の優秀な学生はみんな、争ってそこへ行っちゃう。だから、官僚離れが起きたとしても、本質的な問題は変わっていないんですよ。

池上　例えば東京大学の理科三類は、本当に医者になりたい人というよりは、日本社会でおまえの学力がトップレベルであることを実証できるから、理科三類を受けろと言われる。本当は理科一類や二類に行きたかったのに、進路指導のせいで仕方なしに三類に行っている。で、行ってみたら、えー！　死体の解剖をしなきゃいけないの、冗談じゃないみたいなことが起きるんです。

佐藤　外務省のロシア・スクール※でも、とにかく血を見るのが死ぬほどイヤで、理科三類を中退して来た人がいましたよ。

※ロシア語を研修し、対ロシア外交に従事することが多い外交官の語学閥。

池上　バブルの頃に、ゴールドマン・サックス証券の会社説明会に、理科三類の学生が大挙してやってきたという話があります。結局、入社試験においてもトップであると認定できるところに行きたがるわけですね。

■ブルシット・ジョブの世界観はついて回る

池上　メリトクラシーの話が出たところで言うと、最近、ハーバード大学教授のマイケル・サンデルの『実力も運のうち　能力主義は正義か？』（早川書房）という本が出ましたよね。

佐藤　はい。たしか、原題は『The Tyranny of Merit』でした。

池上　そうです、そうです。

佐藤　つまり、『能力の独裁』ですね。

池上　アメリカのハーバードやスタンフォード、あるいは様々なアイビーリーグの連中って、自分の実力でトップの大学に入ったと思っているけど、そうじゃないんだ。子どもの頃から恵まれたところで勉強できたから入れたんだということを考えなくちゃいけない。
　それを実力で入ったんだと思うようになると、何が起きるか。メリトクラシーで、入れなかった人のことをバカにする。そういうアイビーリーグのエリートたちが政府の幹部になり、あるいは大統領候補になり、大学に行っていない白人労働者のことを見下すことになる。それに対する反発があったときに、ドナルド・トランプが「俺は学歴の低いヤツのことが好きだ」と言って、大統領になるということが二〇一六年に起きたんだと。そういうことを書いた本です。

佐藤　結局、そのメリトクラシーを崩すには、兵役とか軍隊とか、価値基準のまったく違うところに強制的に突っ込むしかないわけですね。

池上　しかし、メリトクラシーによって独裁する側の階級に入ったとしても、実は、ブルシット・ジョブによる疎外感を味わっているのが今の世の中ということですね。なにしろ、『ブルシット・ジョブ』によると、イギリスで「あなたの仕事は世の中に意味のある貢献をしていますか？」という世論調査をしたところ、「おどろくべきことに三分の一以上――三七%――が、していないと回答したのである」とありますからね。さらにオランダでは労働者の四〇%が、「自分の仕事が存在する確固たる理由はない」と答えたそうですから。

まあ、考えてみれば、どんな階層でどんな会社に属してみても、ある意味、ブルシット・ジョブの世界観はついて回る感じがしますね。

佐藤　人間はみんな原罪を持っているから、そういう不幸なものなんだと思えば、問題は瞬時に解決するんじゃないですか。

池上　出た。原罪で、すべて解決。

それはそれとして（笑）、どの階層にあるとしても、ブルシット・ジョブの世界から抜け出す一つの方策としては、斎藤さんの『人新世の「資本論」』の終章に出てくるような国際的に農民組織を広げていったり、自治体をつくってその境界線もなくしていったりということなんでしょうか。つまり、アソシエーション※をつくるという話なんですかね。

※一定の目的を果たすために、個々人の共通の関心にしたがって人為的・計画的に形成される集団。

佐藤　そういうことです。平たい言葉で言うと、友だちを何人持てるかということです。

池上　ということは、協同組合主義的な運動になっていくという話ですよね。

佐藤　少なくとも斎藤さんが考えていることはそうなりますね。ただ、協同組合は資本主義社会で、株式会社には勝てないですからね。問題はそこなんです。いずれにしても、社会主義的な思想や運動は今後の日本や世界で強まっていくと思いますよ。

この章で二人が言及した本

『共産党宣言』

『資本論』

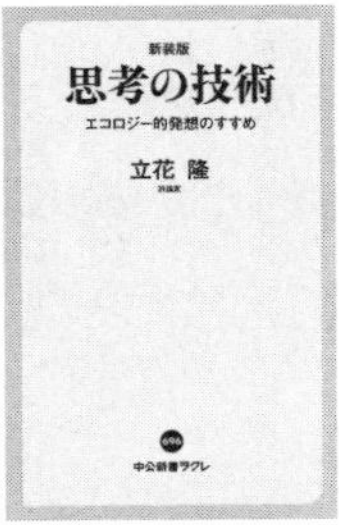

『思考の技術』

『成長の限界』

『清貧の思想』

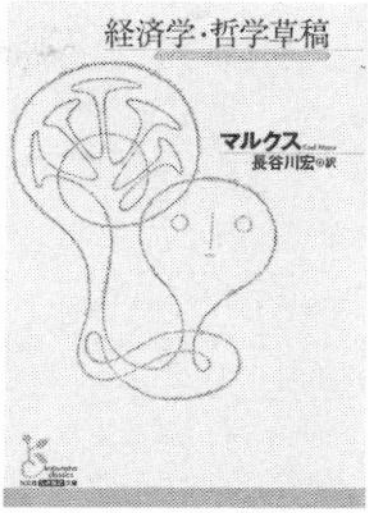

『経済学・哲学草稿』

『貧乏物語』

『労働者綱領』

『今こそ「資本論」』

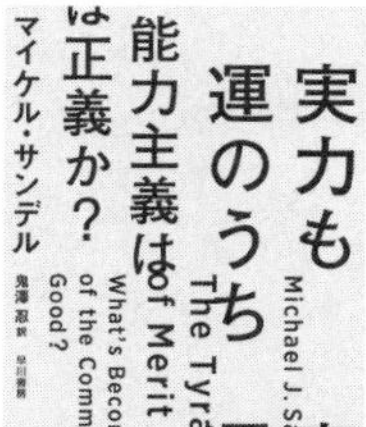

『実力も運のうち 能力主義は正義か？』

【第二章】米中対立　新冷戦か帝国主義戦争か

池上　二一世紀前半の現在、世界が抱える最大の問題はやはり米中対立です。中国の台頭が、経済のみならず、外交、軍事に及び、アメリカを中心とした国際秩序にくさびを打ち込んでいます。そして、世界の中心としてあったアメリカ自身も大きく揺らいでいます。

　この章では、米中対立をどう見るか、さらには新冷戦と帝国主義戦争というところまで話を広げられればと思います。参考とするのは、ミアシャイマー氏のインタビュー記事、レーニンの『帝国主義論』（光文社古典新訳文庫）、ホブソンの『帝国主義論』（岩波文庫ではホブスンと表記）、マルクスの『経済学・哲学草稿』（光文社古典新訳文庫）の四つです。

■ミアシャイマーの最悪情勢分析

池上　まず、そのとば口として、佐藤さんが教えてくださった、朝日新聞デジタルの記事「米中対立『限定的な核戦争』の懸念も」（二〇二〇年八月一〇日配信）から見て行きましょうか。

佐藤　これ、いかがでしたか、なかなかシャープでしたでしょ。

池上　ええ。ジョン・ミアシャイマー氏は一九四七年生まれで、陸軍士官学校を卒業した後、米空軍で将校として五年間勤務し、現在はシカゴ大学で国際政治学の教授をしている

この章の参考書／記事

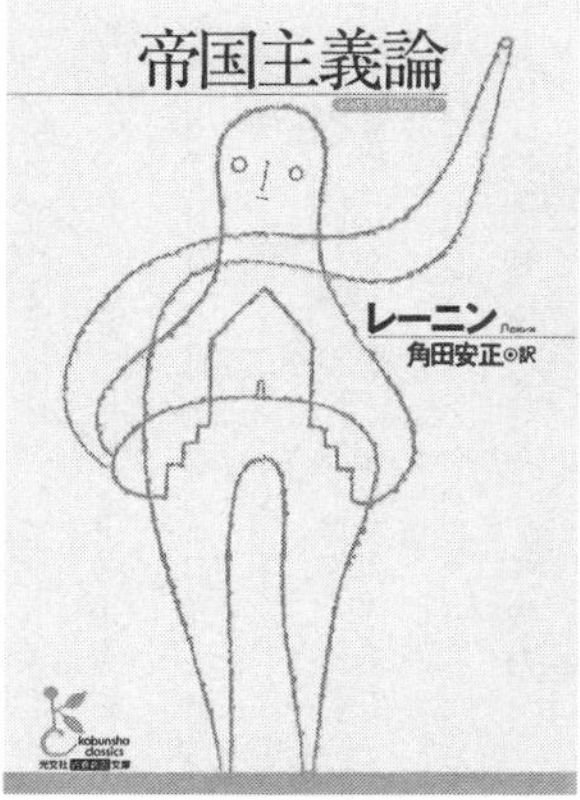

『帝国主義論』

「米中対立『限定的な核戦争』の懸念も　ミアシャイマー氏」

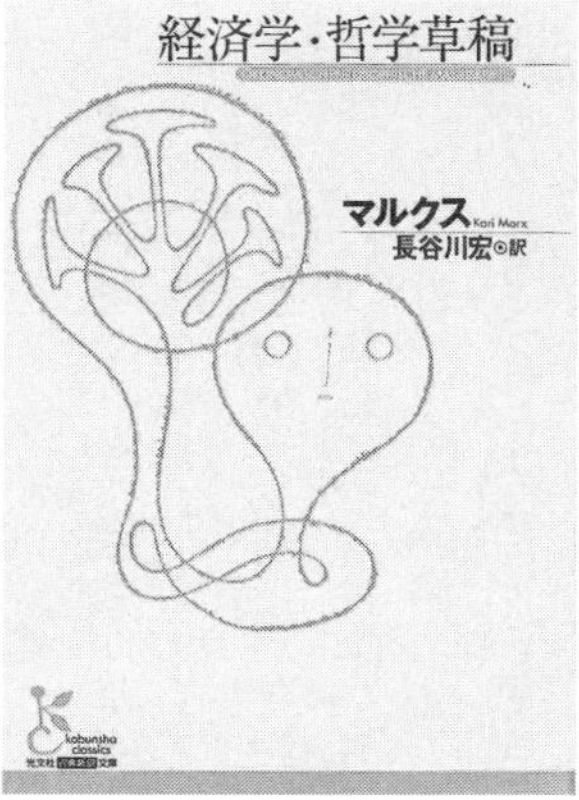

『経済学・哲学草稿』

『帝国主義論』

人です。この記事を簡単に説明しておきます。

〈中国は二〇〇一年に世界貿易機関（ＷＴＯ）に加盟したことで、経済成長が加速し強国になった。アメリカはそれを容認できない。イデオロギーの問題ではなく、利害があちこちでぶつかるようになったからだ。冷戦時代は米ソの核兵器が拮抗し、抑止がきいていたが、現在の中国には核兵器が足りないために抑止にならない。ゆえに、核戦争が起きる可能性は高まっている〉というものです。

佐藤　そもそも東西冷戦というものは、ヨーロッパでソ連圏とＮＡＴＯ（北大西洋条約機構）のあいだで生じていた現象を指すわけです。しかし、われわれアジアの人間にしてみれば、東西陣営が加担した朝鮮戦争もベトナム戦争もあったわけで、アジアにおいては冷戦ではなくて熱戦だったんです。

池上　はい、熱い戦いがありました。

佐藤　このことについてミアシャイマー流の見方で言えるのは、軍事力が均衡していなかったから、戦争になった。東西冷戦のように軍事力が均衡して、睨《にら》み合っていれば戦争は起きない。すると、現在、軍事で見た場合、米中はまったく均衡していなくて、圧倒的にアメリカの方が強い。

池上　「米中間で衝突が起こりうる場所は、南シナ海、台湾、東シナ海と3カ所あり、可能性は冷戦期よりも高い」

　と述べているところですね。中には、すでにアメリカよりも中国の方が強いと言う人もいますが、ミアシャイマー氏は核も含め、米軍の優位は揺らいでいないという立場です。

佐藤　そうです。そこから何が出てくるかと言えば、ミアシャイマー氏は、もしも米中戦争が起きたら、中国は劣勢を挽回するために核兵器を使う誘惑に駆られるんじゃないかと言うわけです。

「本土を直接攻撃するのではなく、海に威《い》嚇《かく》発射するような『限定的な核戦争』が起きることを心配しています」

　と言っていますね。核を洋上で使うのは、その方が抑止力があるからという議論です。

池上　これはもしも米中戦争が起きたら何が起きるかというシミュレーションですね。

佐藤　そうです。これは最悪情勢分析なんです。所与の条件の中で、起こりうる最悪の事態はこういうことになるよという分析で、非常にすぐれていると思います。

■帝国と帝国主義の違い

池上　この議論の前提として、現在の米中関係を冷戦と見るかどうかという問題がありますね。

佐藤　その話を進める前に確認しておきたいのは、「帝国」と「帝国主義」の違いです。「帝国」とは理念やイデオロギーを核としていて、ネットワークで支配するものです。だから地理的に離れていても、イデオロギーを共有していれば、「帝国」の一員となれる。今で言えば、「イスラム国」（ＩＳ）は帝国的と言えます。

　ほかに例を挙げれば、日本共産党の徳田球一（日本共産党元書記長、一八九四〜一九五三年）や野坂参三（日本共産党元名誉議長、一八九二〜一九九三年）は地理的には日本にいたんですが、ソ連のネットワークに入っていたわけです。これが帝国の支配です。

　ＥＵ（欧州連合）なんていうのも、本来はヨーロッパにおけるネットワークの帝国だった。「ＥＵ」という理念を共有していれば、メンバーとなれるわけです。しかし、現在、ＥＵは変質してしまって、まるでドイツの領域拡張みたいなものです。

　一方、帝国主義というのは、ネーションステート（国民国家、民族国家）の延長線上にあるものです。本質的にはネーションステートのままで植民地を獲得し、領土や権益を拡張しながら外部に広げていくということです。その意味では、現在のＥＵはドイツ帝国主義的な色彩が濃くなったと言えるでしょう。

池上　中国も後者ですね。

佐藤　ええ、中国は基本的には遅れてきたネーションステートを形成しようとしていると、私は見ています。

池上　遅れてきたというのは、どこかで変質したということですね。

佐藤　そうです。そもそも中国は歴史的にネーションステートではなかった時期が長いのです。モンゴル族の元であれ満州族の清であれ、漢民族ではない異民族が打ち建てた王朝です。少数派であるモンゴル人や満州人の王朝に、多数派である漢民族をはじめとする多くの民族が従っているという構図です。だから、支配する側は、自分たちに忠誠を誓ってさえいれば、支配される側が何民族であろうと構わない。それが元や清で多くの民族が共存できた理由です。

　その流れで言えば、中華人民共和国も、中国共産党が建てた王朝だった。その王朝に忠誠を誓えばいいことだから、民族問題は深刻じゃなかった。

　しかも、毛沢東は国家を維持していくことをよく考えていたので、一九五六年に行った

「十大関係論」の講話で、六番目の「漢族と少数民族の関係」においては、少数民族を積極的に支援しなければならないということまで言っていました。

ところが、習近平の時代になって、中国を強化していくには、均質な中国人による国家にしなければならないことになった。教育によって均質な中国人ができ上がると考えた。これはネーションステートの考え方です。伝統的な漢人ではなく、中華人民共和国の主体となる中国人をつくろうとしたわけです。

池上　しかし、均質にはならなかったんですね。

佐藤　そうです。ウイグル人とかチベット人とか、統合されない部分が出てきてしまったからです。内モンゴル自治区でかなりのところまで同化を進めることができたので、新《しん》疆《きょう》ウイグル自治区とチベット自治区についてもできると思ったら、そうもいかなくて困っちゃっている状況なんです。

■中国はレーニンの帝国主義国家そのもの

池上　今回、あらためてレーニンの『帝国主義論』を読み返したんです。すると、そこで帝国主義国家について書かれていることが、まさに今の中国がやっていることそのものなんですよ。

第四章の「資本輸出」のところにはこう書いてあります。

「資本主義とは、商品生産が最高度に発達した段階である。（中略）それらの国では、資本の蓄積が途方もない水準に達する。先進諸国において、莫大な『過剰資本』が発生する」

例えば鄧小平のもとで、社会主義市場経済という奇妙奇天烈《きてれつ》な理論を打ち出して、要するに、共産党の言うことさえ聞いていれば、金儲けをいくらやってもいいよとした。それがいわゆる「先富論」です。その結果、資本主義が高度に発展した。まさに国家独占資本主義が実現したわけです。

「過剰資本は、その国の一般大衆の生活向上に振り向けられることはない。というのも、そのようなことをすれば、資本家の利益が減少するからである。過剰資本は、利益を拡大する方向に振り向けられる。それは、後進国に対する資本輸出を通じておこなわれる」

この後進国というのは、今まさに中国がやっている「一帯一路」の対象国のことを指していますね。なぜ後進国に資本が向かうのかと言うと、

「これらの後進国では通常、利益率が高い。なぜなら、資本が少なく、土地が値ごろで、賃金が低く、原材料価格が安いからである」

こうして資本輸出がはじまると、ここからが面白いんですが、要するに、「ひも付き融資が横行する。借款の供与条件として、債務国が、供与された資金の一部で債権国の製品、特に武器や船舶などを購入することを義務付けられる」

どうですか、今まさに開発途上国では、中国に仕掛けられた債務の罠が起きているわけでしょう。中国は一応、共産党で、帝国主義とは違うかのようなイメージを一般の人が持っているかもしれないんですけれど、まさに古典的な帝国主義そのものなんですね。そう言えば、かつて中ソ対立があったときに、中国はソ連のことを社会帝国主義と呼んでいたんですが、いまやそれは自分のことなんですよ。

佐藤　中国はマルクス・レーニン主義と毛沢東思想を規範としているでしょ。だから、党員はみんなレーニンの『帝国主義論』を読んでいるんですよ。そして、資本主義の発展とはそういうものだと思っているわけです。

池上　そうですね。

佐藤　それから、帝国主義を知るには、ホブソン（ジョン・アトキンソン・ホブソン、イギリスの社会経済学者、一八五八〜一九四〇年）の『帝国主義論』もいいです。なぜなら、レーニンの『帝国主義論』は、ホブソンをほぼパクっているからです。

池上　ええ、著作権のある現代ならば問題になるぐらいのパクリ本です。

佐藤　例えばホブソン『帝国主義論』上巻にはこうあります。

「植民主義は、その最もよい意味においては、民族の自然的な溢出《いっしゅつ》である。植民者がその代表する文明を自己の移住した新しい自然的及び社会的環境に移植する力が、その性質を判別するテストである」

　こういう発想は、いま中国が新疆ウイグル自治区でやっている、あの強制的な形での労働や思想改造と一緒です。ですから、この辺境の地は中国にとっては国内植民地なんですね。

池上　いや、その通りです。ものすごく皮肉なことですが、中国を理解するためには、ホブソンとレーニンの『帝国主義論』を読むのがいちばん良いということですね。

佐藤　ホブソンは帝国主義を正当化して、レーニンは帝国主義を批判しているんですが、資本主義が発展していくと帝国主義は不可避になるという認識の基盤は一緒ですからね。中国のインテリだったら、資本主義国として発展していくんだから帝国主義にたどり着くことは不可避であることがわかるわけです。

池上　だから、レーニンから帝国主義を学べば、国内の統治もできるってことですね。

佐藤　そうです。レーニンから学んだことを逆方向に応用すればいいわけですから。例えばレーニンのような形での革命運動を絶対にやらせたらいけないということです。レーニンはドイツとつながっていたわけだから、外国とつながっているヤツには警戒する。そして先鋭的な前衛党になりそうなヤツは全部摘み取る。それから地下活動は徹底的に弾圧する。そういうふうにやっておけば、革命は起きない。

革命を起こす方の勉強をしているわけだから、逆にその一つひとつを潰していけばいい。

池上　それは日本の会社でもよくあるじゃないですか。いろんな企業の労働組合で、組合の幹部になることによって、経営のことをよく知る。その労組の幹部が経営側に転身すると、労働組合の論理から何から全部わかっているから、労働組合をうまくコントロールできる。そういうのがいろんなところで起きてますでしょう。

佐藤　経団連（日本経済団体連合会）になる前の日経連（日本経営者団体連盟）なんか、そういう人が多かったですよね。

池上　そうでした。それがまさに今の中国というわけです。

■マルクスは中国にとって危険思想

佐藤　ただ、マルクスやレーニンを学ぶと意外と怖いところがあるんです。

これはモスクワでの私の経験なんですが、モスクワ大学の学生は強制的にマルクスを勉強させられますよね。マルクスの『経済学・哲学草稿』の「疎外された労働」のところに書いてある「四重の疎外」なんかを読んでしまいますね。すると、労働生産物は国家によって召し上げられているし、労働は楽しくないし、人間の連帯は失われている……。じゃあ、その疎外された社会というのはソ連のことじゃないかと気づくわけです。ある意味、初期マルクスがソ連社会を壊していくときの一つの大きな動機になったんです。

池上　寝た子を起こすみたいな部分があったんですね。

佐藤　自分たちが疎外された人間であり、疎外された労働をやらされていることに気づくわけですから、いわば『ブルシット・ジョブ』に近いわけです。

例えば、モスクワ大学の哲学科を出て、五年に一回だけ論文を書いているんだが、この二〇〇枚の論文は何の役に立つんだろうか。あるいは、牛乳の配達の命令を出しているんだけれども、冷蔵庫がないから、その配置通りに配ったって、店に着いたときには腐っている。こんな計画を立てて、自分の人生にどういう意味があるんだと考えるようになる。そこから、ソ連の体制は変だなというふうになったんです。

池上　なるほどね。

佐藤　実は、当時のソ連では、『資本論』だけ読んでいても、疎外の問題には気づけなかったし、そもそも搾取されている感覚は生まれなかったんです。『資本論』の世界では、労働力が商品化されていて、それが搾取される。しかし、搾取は市場があってこそ成立するわけですが、当時のソ連はもっとひどかった。自由に職が選べないし、労働力が商品化されていない。いわば国民全員が強制労働に就いている状態でしょ。しかも搾取がなくて、全員が収奪されているわけだから。

しかも、ロシア人が主で、少数民族が弾圧されているという図式が成り立たないわけです。だって、スターリンはグルジア（ジョージア）人ですからね。もう、ソ連共産党中央委員という、何かわけのわからない中心があって、それ以外はロシア人も含めてあらゆる人間が収奪されている構図だった。だから、『資本論』ではなくて、『経済学・哲学草稿』の疎外論とかがソ連社会にはぴったりとはまったわけですね。結局、マルクスを読むことでかえって、ソ連を壊していくようなエネルギーがどんどん蓄えられていったんです。

この意味において、中国でも同じことが起こりかねないですよ。

池上　それで言うと、中国では、二〇一八年一二月ですが、北京大学のマルクス主義研究会の会長が公安によって捕まっています。要するに、北京大学の学生がマルクス主義研究会をつくって、深く研究をはじめると、当局にとってはちょっと困ったことになるみたいですよ。つまり、危険思想ということなんです。北朝鮮でも、一般の国民はマルクスの書物をいっさい読むことができませんからね。

佐藤　できないですね。

池上　禁書扱いですから。当局から特別な許可を得た研究者だけが見ることができる。韓国も軍事政権のころはマルクスが読めなくて、民主化されてから読めるようになった。北朝鮮では読めないということは、やっぱり、マルクスは危険思想なんですよ。

佐藤　暴力によって既存の権力者を追い出すしかないとか、われわれは失うべきものは鉄の鎖以外は何もない、とか読んでしまったら、みんな、ピンときちゃいますからね。だから、マルクスを北朝鮮で放置しておいたら、命取りになる可能性はあります。

池上　そうだ、中国に対して、マルクス・レーニン主義を学びましょうって働きかければいいんだ。

■レーニンとスターリン

佐藤　一方、民族問題について学ぶならスターリンを読めばいい。ソ連では、レーニンは民族問題にはまったく弱くて、全部、スターリンに丸投げしていました。スターリン自身が少数民族出身でしたから、民族問題の専門家でもあったのです。

　例えば、スターリンに大抜擢されたスルタンガリエフ（ミールサイト・スルタンガリエフ、ロシア革命期の民族主義的共産主義者、一八八二〜一九四〇年）というタタール人の回教共産主義者がいました。タタール自治共和国の樹立に大きな役割を果たすんですが、こういう人間を使うという発想はレーニンにはまるでありませんでしたからね。

池上　スルタンガリエフはスターリンと意見が対立するようになって、最後は粛清されますけどね。

佐藤　それから最近、白水社から出た『スターリン　独裁者の新たなる伝記』（オレーク・V・フレヴニューク著）という評伝が凄くいいですよ。一九五九年生まれのロシア人が書いているので、ソ連時代の影響を受けていないんです。西側の人間が書いたものとは、やっぱり読みの深さが違います。

　レーニンはもちろんインテリで、もの凄く発想が極端で、国内に基盤がないから逃げざるを得ない。スターリンはモテるんです。女性が匿《かくま》ってくれるし、助けてくれる。コミックの『課長　島耕作』（弘兼憲史作）みたいな世界ですね（笑）。おまけにスターリンには、あっちこっちに子どもがいる。それで、現地の視察が大嫌いで、いやいやでしか旅行をしないんです。

　で、池上さん、スターリンは物事を何で判断すると思います？

池上　何でしょうか？

佐藤　全部、手紙で判断するんです。民衆からでも匿名でも何でもいい、何かあったら手紙を送ってこいと。それで、ここにこういう悪い奴がいるなどということは、手紙をきっかけにして判断する。「若いころ、お前が苦しいときに俺は匿ってやったじゃないか。その俺が今、極貧にある。何とかしてくれ」という手紙がくると、助けるときもあるし、逆に捕まえちゃうときもある。でも、とりあえず手紙には反応はするんですね。

池上　メールには必ず返事をする、今どきの経営者みたいですね（笑）。

佐藤　それで、一九一七年にレーニンが新ロシア政府として組織した人民委員会議の議長となります。このとき民族問題に詳しいスターリンは、民族問題人民委員部を司ることになるんですが、民族問題はいつになっても終わらないし、早く上に行きたいから、この部を廃止したくて仕方がなかった。それであらゆる手を使って、書類の整理をさせてくださいと言って書記局に移るんです。

池上　ははあ、それで書記長になるわけですね。

佐藤　そうなんです。資料の整理と会議の議題を決める書記長です。すると他の連中は、スターリンは欲のないヤツだなと思って、ホッと安心するんです。ところが、スターリンは、いつどの会議で誰が何を言ったかを全部把握していく。今で言えばビッグデータを独占するポジションを握るのです。そして全部の議題を決めて、ついでに人事もやると。もう、もの凄い権力ですよね。

それからスターリンは革命前の時代、常に帝政ロシアの秘密警察に追いかけられていました。秘密警察が役に立つことを知っていたので、それを強化します。レーニンにはない実務能力があったし、秘密警察の使い方を知っていたんですね。

一歩下がる姿を見たら、権力闘争をしている連中はバカだから、ホッとしちゃう。その間にスターリンは着々と権力を掌握していったということなんです。

池上　いや、見事なもんですな。

佐藤　ですから、スターリンに学ぶ人事の極意とか、スターリンに学ぶトップのなり方とか、凄く勉強になりそうです。そして、権力を維持していく方法も勉強になりそうですけどね。

■習近平の慢心

池上　佐藤さんは、習近平はどういうタイプの指導者だと見ていますか？

佐藤　習近平は、これだけの経済成長を成し遂げた時期の総書記ですよね。ある意味では、運のいい指導者と言うことができるんじゃないでしょうか。

池上　習近平は最初は、正義の味方として登場しますね。国民の幅広い支持を得るために、腐敗している連中をやっつけたわけです。たしかに腐敗が蔓延していた中国国内あるいは中国共産党に、中央規律検査委員会を使って、徹底的に汚職を追放するというやり方からはじめたんですね。例えば重慶市党委員会書記で中国共産党中央政治局委員の薄熙来や政治局常務委員の周永康といった超大物がそうです。これによって、結果的にライバルを蹴落としたわけです。

「虎（大物）もハエ（小物）も同時に叩く」という汚職追放によって、とにかく習近平には逆らえないという雰囲気をつくって、いや、雰囲気だけじゃなくて実質的にそうなんですが、絶対的な権力をつくりあげました。二〇二〇年八月には、毛沢東式に「剣を内へ向け、骨から毒をそぎ落とす」と宣言して、警察と司法関係者に粛清をかけました。

最近、あちこちで独裁者になろうとする連中が、ライバルを汚職で追及していくやり方が広がってきましたね。

佐藤　私が習近平に抱く印象は少し違っていて、彼はあまり〝我〟はない人なんじゃないかという気がするんですよ。この急速な資本主義化、テクノロジーが変化していく中で、中華人民共和国という国家を、なんとしても生き残らせなきゃいけないということで、いっぱいいっぱいなんじゃないですかね。

経済が底上げされていく中において、国民の欲望が肥大していくでしょ。経済が大きくなっていけば、当然のことながら、腐敗はもの凄く広がるわけですよ。中国のような管理体制だったら、許認可権も巨大なものになりますから、その中でこの程度の腐敗で済ませているというのは、やっぱり大したものですよね。

だから、恐怖だけじゃできないと思います。習近平本人のモラルはかなりしっかりしているんだと思いますよ。そのモラルは何かと言ったら、一〇〇〇億円を横領できるところを、一〇億円ぐらいしか取らないということです（笑）。でも、そこで自分を律するのって、なかなか大変なんです。

池上　いやいや、習近平の家庭はタックスヘイブン（租税回避地）に資産隠しをしていると報じられていますから、その程度の額では済まないと思いますよ。モラルがあったとしても、それはあくまでも中国水準での評価ですね（笑）。

それはいいとして、習近平はやっぱり鄧小平とはちょっと違う存在ですね。鄧小平が言ったことで、彼が守っていないことが二つあって、一つは韜光養晦《とうこうようかい》です。要するに、能ある鷹は爪を隠せと。とにかく爪を隠して、力を蓄えろと言っていたのに、習近平はかなり露骨に爪を見せるようになったわけでしょ。それによって、南シナ海や東シナ海で強硬路線を取り、アメリカとの関係も悪化するようになってしまった。鄧小平が、今、生きていたら、間違いなく、「おまえ、ちょっと待て」と言っていましたよ。

あるいは香港の一国二制度だって、鄧小平は五〇年守ると約束したわけです。これは、中国百年の計からすれば守ってなきゃいけなかったですよ。香港の独立性を守ってこそ、台湾とも一国二制度でやろうよと言えたわけです。それが二十数年ぐらいのところで我慢しきれずに、中国が香港を飲み込むようなことをしちゃったわけでしょう。もはや一国二制度だなんて、誰も信用しないですよ。そういう意味で、鄧小平の遺訓を守っていない。

これは習近平の慢心ではないでしょうか。

佐藤　慢心と取ることもできるかもしれませんし、中国の伝統的な論理で言うと、七：三の論理ですね。鄧小平は七つ正しく、三つ誤っている。誤っているうちの一つは香港だ、みたいな感じかもしれませんよね。

池上　毛沢東が死んで、文化大革命の評価をするというときに、鄧小平が毛沢東には七の功績と三の間違いがあると言ったのが七：三でした。それと同じ理屈ですね。鄧小平についてもいずれそういう評価をすることになるのかな。

佐藤　中国共産党で生き抜くには「自己批判」が必要なんです。自分が全部正しくて相手が全部間違っているというのだと、かえって敵ばかりが増えてしまう。そのときに便利なのが七：三の論理なんです。自分を点検して、いかにも本質的じゃないところを三ぐらい挙げて、真剣に謝っているふりをする。あるいは、「人の悪事を見過ごしてすみませんでした」という形で〝自己批判〟を行う。それができる人は出世していきますからね。それが独自の生き残りへの文化をつくっていくわけです。

■誰が国家の主人なのか

池上　もう一つ、習近平が鄧小平の遺訓で守っていないのは、最近、アリババとかのＩＴ企業に対する規制を急激にはじめたことです。

　鄧小平ならば、例えばアメリカで上場するとかいう形で外部の資金を集めて、中国が一段と発展することを咎《とが》めなかったはずです。

　ところが、これは国内での上場のケースですが、ＩＴ大手のアリババが子会社を上場させるときに、創業者のジャック・マーが中国の金融規制をめぐって、「今の銀行はまだ（担保を重視する）質屋の発想だ」「中国の金融機関の質屋的な発想は最も深刻だ」と政府批判をした途端に、所在不明になりましたよね。習近平がそれで激怒したと言われています。ジャック・マーが怯えて、全然、外に出てこられなくなった。

　そもそも習近平とジャック・マーの確執は二〇一七年にさかのぼります。中国当局の事前承認もなしに、マーが次期大統領に決まっていたドナルド・トランプに会って、一〇〇万人の雇用創出について論議したというんです。まだ習近平がトランプに会う前だったから、そのことが習の逆鱗《げきりん》にふれたことが伏線にありました。

　また、配車サービス大手の滴滴出行（ディディ）がアメリカで上場したことに対して、政府は中国国内で滴滴出行のアプリの削除を命令したりしましたよね。

佐藤　これは誰が国家の主人かという問題なんです。そこが共産党体制の非常に敏感なところですね。

池上　そこですよ。

佐藤　銭金をたくさん貯めたことをもって、国家の主人と思ったらいけませんよということですね。だから昔、日本で外務大臣になった御婦人がいましたよね、自分の周囲の人間を「家族と使用人と敵」の三種類に分けた人が（※１７８ページ参照）。

池上　ああ、いました。

佐藤　中国政府もそれと同じです。だから使用人なんだよと。それをわきまえなかったら、敵認定するぞということです。

池上　結果的に中国のＩＴ企業の発展に、今、急ブレーキが掛かっていますよね。ＩＴ系の企業の株価も暴落しました。

佐藤　ＩＴ企業の経営者だって、命のほうが大切ですものね。

池上　はい、そうなんです。だから急に、ＩＴ企業だけじゃなくて、いろんな起業家たちに、ちょっとブレーキが掛かっています。

佐藤　でも、なんか雰囲気からすると、日本の永田町に似ていますよ。「挨拶がない」と言って怒るんじゃないんです。みんな、官僚から何から挨拶は受けていますから。「挨拶が足りねえ」と言って怒る。これだとどこまで挨拶したら足りるのかがわからない。だからジャック・マーさんも困りますよね、いつ許してもらえるのかわかりませんから。

池上　これは中国とのビジネスを考える上でも、押さえておかないといけない点ですね。やっぱり、あくまでも共産党の制約下でこそ自由な活動ができるんだぞ、それをわきまえておけよという本音が、露骨に示されました。

■アメリカ型の普遍的価値観の限界

佐藤　米中対立を、もう一回、基本のところに戻して考えると、アメリカ型の自由民主主義が持つ※アトム的な人間観に根本的な原因があると思うんです。その人間観から出てくるデモクラシーを普遍的な価値観として押し付けることが、限界に来ているんじゃないでしょうか。

※アトムとは原子のことで、他者とつながって分子とはならずに個人がバラバラに生きる様の象徴。アトム的個人主義。

中国側から見てみれば、アメリカが進めているグローバルな資本主義と、アメリカ的なアトム的人間観、それから資本主義的なあり方に対して、中国という一つの強大な文明圏が異議申し立てを行なっているということだろうと思います。これが米中対立の背後にある一つの要素なんでしょうね。

池上　あと、マルクス風の唯物史観で言えば、生産力が発展し、しかし上部構造の政治構造が桎梏となると、下部構造の経済力によって、これが打ち破られて革命が起きる。封建社会から資本主義社会への変革において、それが起きたと。

今、中国において、資本主義的な生産力が急激に成長している。それを共産党の支配体制が抑えようとして、桎梏となると。そこで、その資本主義の生産力によって、上部構造の政治構造を打破しようというような動きが出るか出ないか。出るとおもしろいなって思うんですが、単なる憶測というよりは、頭の体操ですけどね。佐藤さん、どうですか。

佐藤　だから逆に、アメリカのＣＩＡが、今、やっているような、ＮＰＯとかＮＧＯを中国にまぎれこませる工作ですね。こういう工作は逆効果だと思います。中国から内発的に起きてくるものをほったらかしておいたほうが怖いですよ。

池上　外から挿入するとか、いろんなことを外部からやるというのは、とにかく逆効果ですね。

佐藤　それはソ連に置き換えるとわかりやすいんです。例えば、ソルジェニーツィン（アレクサンドル・ソルジェニーツィン、ソ連・ロシアの小説家、一九一八～二〇〇八年）は、ノーベル文学賞をもらうなどして、国際的な評価を得ましたが、実はソ連国内ではほとんど影響力はありませんでした。一九七三年に『収容所群島』の刊行をはじめて、一九七四年に国外追放になっちゃったから、ソ連崩壊への過程でも影響力を持てなかったわけです。

　それに対して、サハロフ（アンドレイ・サハロフ、ソ連の物理学者、一九二一～一九八九年）は国内追放だったからこそ、反体制運動を糾合するような力を持てたんです。中に留まることが肝心で、外に出ちゃったらダメなんです。

池上　彼は国内流刑でしたからね。

佐藤　国内流刑になるということは、当時の秘密警察の中においても、サハロフに一目置いていたからですよ。

　あと、もう一つ、サハロフの場合は、水爆の開発をしたでしょ。原理的なものって、国家機密なんです。それはソ連独自の国家機密だから、外に出すわけにいかなかった。スターリン時代だったら殺しちゃったんですけどね。その殺すところで歯止めが掛かったのは、敬意なんです。要するに、サハロフが官僚主義批判、核実験反対運動、核軍縮キャンペーンなどを信念に基づいてやっているということを、みんな知っていますからね。秘密警察とかを含めて、彼に対しては一定の敬意を払っていたわけです。

池上　だから殺さないで、流刑にした。日蓮じゃないですか。

■習近平が取りつかれた夢

佐藤　結局のところ、モスクワ大学やモスクワ国際関係大学の出身者の中で、その一部が反体制派になり、大多数はエリートコースに乗って、そのうちのある者は秘密警察に入って検閲官になっている。言わばかつての同級生や同窓生の書いたものを検閲しているんです。つまり、エリート同士でお互いに人柄がわかっているから、もの凄く巧みな方法で折り合いをつけていますよ。

池上　ああ、そういうことだったんだ。

佐藤　例えばモスクワ大学の哲学部には、現代ブルジョワ哲学批判学科というところがあって、そこは西側の現代思想をやっている。

それで、「西側にはマルクスの名を騙《かた》った形で、本質において知的遊戯でしかない議論が行われている。その一人がユルゲン・ハバーマス（ドイツの哲学者、一九二九年〜）である」とか言って、最初に悪口を書くんです。そのあと、『晩期資本主義における正統化の諸問題』という本の中で、こういうことを言っているとして、ソ連の体制を批判するアンコになる部分が出てくる。それで最後に、党の公式的な見解を引用したりして、「このようなブルジョワ社会において、党の前衛性を認めないようなイデオロギーは仮にマルクスを使おうとも、かつてのウィーンの※黄色社会主義と同じ運命になるだろう」とか、そういうちぐはぐな結論を付けておく。そうやって西側の現代思想の内容を紹介するという技法に長《た》けるわけです。

※「赤色社会主義」である正統派マルクス主義とは対照的なオーストリア・マルクス主義。ソ連型マルクス主義の暴力革命と中央集権に反対し、分権的な社会主義と民族自治を強調した。

　これならば、ハバーマスの批判的な紹介だということで、検閲を通るわけです。どういうふうにすれば検閲を通るかということはわかっているし、実は検閲官も、学者や学生が何をやろうとしているかわかっているんです。

池上　もっと厳格にやっているのかと思っていました。

佐藤　さらに言えばもっとストレートに、ソ連体制の悪口とか本格的に書いたものも出版できたんです。タイプ打ちの文書を製本屋で二〇部まで作って配布することだったら、大目に見てくれました。それはもう、どんな攻撃的な文書でも大目に見てくれる。考えてみれば、大学の紀要論文なんて、三人ぐらいしか読者がいないんだから、こういうサムイズダート（自家出版）と大差ないわけです（笑）。そういった形で十分にガス抜きができていたわけです。

　中国はそれと比べると、なんか几帳面にやり過ぎている感じがしますよね。余裕がないというか、ガスが抜きにくいような社会じゃないかな。

池上　なんか常にすべてを緻密にやるっていうのは、何となく東アジア的じゃないですか。北朝鮮もそうだけど、抜けているところがないですよ。

佐藤　ええ。その辺はあんまり帝国的じゃないんですね。帝国というのは、もう少しおおらかなはずです。そうしないと、多様な民族をとりこめない。だから中国のやり方は国民国家的なんですね。

　習近平が取りつかれている夢というのは、中国を巨大な国民国家にしようとしているんでしょうね。だから力ずくでも均質な「国民」をつくろうとしている。しかし、それはコストが掛かり過ぎるし、無理ですよ。そこに統合できない人たちが億単位で出てくるから。

池上　それこそ、オスマン帝国やローマ帝国のように、辺境にはそれなりに独自性を認めるというやり方を取れば、帝国っていうのは長続きしますけど、無理やり均質にしようとすると、ものすごい軋《きし》みが出ますね。

佐藤　ええ。だから国民国家の拡張という帝国主義でいくのか、あるいは、辺境は適当にやらせておいてネットワークだけはつくっていくという、旧来型の帝国にするのかによってだいぶ違ってくるわけです。その二つは見た目はよく似ていますけどね。

だから、生真面目に、ウイグル人をみんな中国人に改造しようなんていうことをしたら、それはもうコストが掛かって、どうしようもないし、やりきれないですよ。

そうすると、結局、中国指導部は文化に対する認識が浅いということになっちゃうんです。文明の受容はすごくうまいんですよ。ところが、文化というものは、もの凄く粘着質で、拘束性が強いものだということが、皮膚感覚でわかっていないのかもしれない。それは中国文化しか知らないからでしょうね。

池上　あるいは、中国文化がこの世で最上のものと思っているかです。

■オバマはしたたか、バイデンは稚拙

池上　同じ大国でも、ソ連というかロシアは、相当ほかの民族に関心が強いし研究も盛ん

な国ですよね。

佐藤　それはそうです。ロシア帝国以来の民族学、人類学の伝統もありますから。ソビエト社会主義共和国連邦になると、それまで文字のなかった民族の文字までつくっていますからね。

　スターリン体制下の民族政策はいくつかの階層に分かれていました。まずウクライナとかのソ連から離脱ができる共和国、次にチェチェンやイングーシのように離脱はできない自治共和国があった。ここまではそれぞれ独自の憲法が制定されていました。さらにその下には地方自治州、自治管区が置かれていました。多重な形での自治があったんです。

　それで、それぞれの国の第一書記は民族共和国の現地の人間で、第二書記にロシア人の白人をつける。

池上　実権はその第二書記が持っているということなんですね。

佐藤　そうです。南ベトナム大統領とアメリカ軍顧問みたいな感じです。

　ちょっと話が横にそれますけど、南ベトナムなんていうのも、研究の対象になりますよ。あの統治形態というのは、どういうものだったのかと言うと、限りなく満州国に近かったんじゃないですか。要するに、アメリカがつくった満州国だと思うんです。

だから今の南スーダンは、南ベトナム方式の焼き直しだと思うんです。スーダンでは「アフリカ最長の内戦」と言われた混乱が続いていたんですが、当時のオバマ大統領が、二〇一一年に、南スーダン共和国の独立の支援を表明しましたよね。あれは中国がスーダンに入って石油開発を進めるのを牽制するためでした。

このときも、『菊と刀』のルース・ベネディクトみたいに文化人類学者が協力していると思うんです。というのは、スーダン北部の大部分はスンニ派のイスラム教徒、南部は半分がキリスト教徒で、四分の一が精霊崇拝の原始宗教の信者です。だからイスラム教徒たちは、ほかの異教徒たちをバカにしているわけです。

オバマが外交でやったことは南スーダン共和国の独立を支援したことと、もう一つは、ミャンマーの軍事政権との関係を改善して、中国がインド洋に出てこられなくすることでした。要は、昔の日本軍が※援蔣《えんしょう》ルートを押さえることと同じです。

※日中戦争から太平洋戦争にかけて、蔣介石の対日抗戦を援助するために、英ソ米などの連合国が物資や人員を運んだルート。

だからオバマ政権というのは、その意味においては、ネットワーク型の帝国方式によって、対中封じ込めをやったわけです。それに比べると、バイデン大統領の思いっきりラッパを鳴らして、体制間戦争をやって行こうというのは、あまり頭が良くないように見えるんですね。

しかも、アメリカとミャンマーの軍事政府との関係改善はオバマが始めたことでしょ。なんでバイデンはその軍事政府を締め上げるのか。これでは今のミャンマー政府はますます中国への依存を強めるだけでしょう。外交戦略的に見ると、オバマ時代に比べるとバイデンは稚拙ですよ。

池上　それだけオバマはしたたかな男だったわけですね。

佐藤　そうなんです。オバマは核廃絶とか言って、それでノーベル平和賞を貰うような理想主義者の顔をしておいて、その裏では、アメリカの国益に死活的に重要だと思われるところ、あるいは対中封じ込めに本当に必要だと思うピンポイントのところに、手を突っ込んでいました。南スーダンとか、ミャンマーとかには、玄人《くろうと》以外は気づかないやり方でやっていましたから。

バイデンがやろうとしていることは、相当なコストが掛かると思いますよ。だから逆に言うと、そこにはアメリカの内政要因が絡んでいるとしか思えないんですよ。要するに、アメリカの中がガチャガチャだから、より大きな外敵がないと、まとまれないという無意識が、アメリカにあるとしか思えない。

池上　外に敵をつくることによって国内を団結させるという、いろんな国の独裁者が行なってきた典型的なことを、今、アメリカがやっているということですな。

佐藤　そうです。しかもアメリカ人の場合には、無意識的だから、たちが悪い。

かつての独裁者たちは意図的に行なっていましたからね。意図的に行なっていたから、舵を切り替えて、取り引きできるわけですよ。ところが、無意識だと、それが自然のように思えるから、取り引きの余地が非常に少ない。

だから、私は今、アメリカがやっている反中政策というものには、日本は乗らないほうがいいと思いますね。そのうち、アメリカもひどい目に遭うと思います。

池上　では、今度はアメリカの最悪情勢分析をすると、どうなりますか。

佐藤　中国はすでに世界のものづくりの中心になっていますね。インド、ロシア、東南アジアは、中国とのサプライチェーンの方に入っていく。すると、アメリカの方が中国のサプライチェーンから切り離されてしまうんじゃないですか。そうしたら、その流れの中で、ヨーロッパも中国側に入っちゃう。その可能性すらあると思います。

池上　つまり、中国を中心としたユーラシア・サプライチェーンと巨大な孤島と化したアメリカということになりかねないと。

佐藤　やっぱり中国の人口というものを無視したらダメですよ。アメリカとの人口差は四倍以上あるわけです。中国は世界の工場であると同時に、世界最大の消費者でもありますからね。

■アメリカ人と中国人はどちらが均質か

佐藤　それから、米中問題を別の角度から考えてみますと、アメリカのエリート層の中で、人の気持ちになって考えることが最も苦手だというタイプが増えているように思うんです。

池上　それは共感力が下がっているということでしょうか。

佐藤　下がっていると思いますね。

池上　そういうエリートたちが中国に対する過剰な反応を引き起こしているわけですね。

佐藤　私にはそのように思えてなりません。日本の外務官僚の発言なんかを見ていても、同じことを思いますね。例えば、日本の国益を真剣に考えている官僚は、中国との安定的な関係を構築すべきだから、過剰に対立を煽《あお》るべきじゃないと言うんです。その一方で、台湾海峡は戦争状態だと発言する官僚もいるわけです。そして、そういう勇ましいことを言う人の方に需要があったりする。

対露関係でも、私とか鈴木宗男さんとか、強面《こわもて》の人は実は柔軟派なんです。なんかフニャフニャした虫も殺さないような人が対露強硬派なんです。でも、実際の交渉になると押し切るのは柔軟派ですね。政策上で柔軟な人は、人間的に柔軟で優しいわけじゃありませんから。

池上　なるほど、交渉したことがない人が強硬派になる。

佐藤　勇ましい人は例外なく難しい交渉を経験したことがない人です。だから、中国も強面で来ているように見えるんだけども、それは強面で公に発言している中国だけを報道するからですよ。もう少し多面的に中国について報じてほしいと思いますね。文化大革命のころじゃあるまいし、ある程度は自由に取材ができるんですから。

池上　中国社会の多面性をもっと伝えてくれってことですね。

佐藤　米中戦争を望んでいる中国人なんて、誰もいないと思いますよ。

もう一つ、私がアメリカについて危惧しているのは、オカルト的というか、非科学的な思考が一定の勢力となりつつあることです。池上さん、中国で人類が月面に到達していないとか、地球が平面だと思っている人って、どれぐらいいますかね。

池上　いわゆる「地球平面説」を信じる「フラットアース論者」ですね。アメリカには「地球球体説」が政府のプロパガンダだと本気で信じている人たちが結構いるんですよね。中国にはいないんじゃないですか。

佐藤　私もほとんどいないような感じがするんですよ。近代科学と対立するような発想を持っている中国人って、あんまりいないんじゃないですか。

池上　いないし、そういうもののネットの言論って、取り締まられちゃうんじゃないですか。

佐藤　「フラットアース論者」は地平線の端まで行ったら、滝があるんだと信じているような人たちですが、結構大きい団体でしょ。それから南部のほうのアメリカ人には、何を考えているかわからない人がいますよね。

池上　大体、南部では進化論も教えませんから。

佐藤　ええ。そして、白人優先主義の自家製新聞をコピーかなんかで配っているんでしょ。それから、最近、Qアノン※信者がまた増えていますよね。

※実証されていない様々な考えを信じる極右の陰謀論。またはそのネットワークやコミュニティ。

池上　そのようですね。

佐藤　あと、レプティリアン（Reptilian）、爬虫類人類説を信じる人もいますね。たぶん中国にはあんまりそういう人はいないと思うんですよ。

池上　いないでしょうね。

佐藤　そうすると、アメリカの方が極端な考えに走って、しかもそれに固執してしまう人が多いように思えます。人数にしても、そのクオリティにしても、やっぱりバラエティがたくさんある。それで言うと、中国の方が、もしかしたら全体的には近代的かもしれないです。

池上　いわゆる一般常識においては、中国のほうが均質化が進んでいるんじゃないですか。

佐藤　いろんなところにおいて、イデオロギーは入っていますけどね。でも、やっぱり極端な考えの人は少ないと思います。

■インテリジェンスのゆがみと暴走

池上　ここで、現在の米中関係を冷戦と見るかという最初の設問についてちょっとまとめておきます。

やはり東西冷戦というのは、ほんとにイデオロギーの衝突でしたし、さらに言えば、どれだけ自分側の陣営に仲間を増やしていくかということでした。その仲間を増やそうとする過程で、例えば東南アジアやアフリカなどでぶつかり合って、冷戦じゃなくて、熱戦になっていた。

その観点からすれば、今の米中関係を新冷戦と見ることもありますけど、冷戦ではなくて、昔の帝国主義がぶつかり合っているんですね。

佐藤　それに対して、アメリカは対中国包囲網をつくろうとしていますが、どれだけ仲間を増やすかというよりも、結局は力で中国を抑え込もうとしている。本当に古典的な帝国主義的な争いの現代版ですね。

池上　そして中国がやっていることは、どれだけ資本を輸出し、あるいは融資をして、後進国をがんじがらめにしていくかに力点が置かれている。これぞまさに帝国主義です。

佐藤　そこで重要になってくるのは、冒頭のミアシャイマー氏の問題提起に戻りますが、実際に米中戦争が可能かどうかということなんです。この場合の戦争は全面戦争になるんですが、特に核兵器下において、全面戦争は可能かどうかと言えば、やはり難しいというのが結論でしょうね。

とすると、ドイツの第二インターナショナル時代にカウツキー（カール・ヨーハン・カウツキー、社会民主主義の理論的指導者、一八五四〜一九三八年）が唱えた、超帝国主義論ということになるんじゃないでしょうか。つまり、帝国主義国家同士が調整をして、戦争はお互いに不利益だから、やらなくなるという理論です。今後の米中は超帝国主義論的なことになっていく可能性の方が高いと思います。それは希望的観測も含んでいますが。

池上　ミアシャイマー氏は、「安全保障の対立が激化すると、経済協力が崩れることは歴史が証明しています」と述べています。つまり、国と国のあいだに経済的な結びつきがあるとしても、戦争が起きるかどうかは別問題なんだと言うわけです。

そういう考え方がある一方で、アメリカのエリートたちがちょっとしたヒステリーを起こしたとしても、帝国主義同士では、最終的には全面戦争は起こらないという見立てがあるということですね。

佐藤　そうです。ミアシャイマー氏の場合には、あってはならないというシナリオを前提にして、核戦争まで含めて考える。思考実験を極端なところまで推し進めて、その中であり得る最悪の線を示していると見たほうがいいと思います。

池上　思考実験をする過程で、想定外をなくそうという考え方の中で、例えばプランA、プランB、最悪の場合のプランC、こういうことがあり得るんだとしますね。そこで起きる問題は、実はそれを避けなければいけないとの意図で問題提起しているのに、その最悪の想定が独り歩きしてしまう。

例えば、中国が台湾に攻めてきたらという脅威論に引っぱられて、空母を派遣したりしているうちに、米中両者がエスカレートしてしまい、ついに本当に衝突が起きてしまう危険性もあるわけです。

佐藤　そうです。極端に振れる形で、中国との緊張を政策決定者が重視していることを読み取って、今度はインテリジェンスのほうからは、それを強化する情報ばかり上がってくるようになるんですね。

映画で言えば、『テイラー・オブ・パナマ』です。パナマに左遷された英国秘密情報部MI6の諜報員がいるんですね。彼が目をつけたネタ元が、政府要人御用達の仕立て屋です。この仕立て屋は実は多額の借金を抱えた男で、いい加減な情報源をでっち上げて、いい加減な話をつくって報酬を貰う。そうこうしているうちに、その情報がCIAに回っちゃって、話はどんどん膨らんで、アメリカがパナマを攻撃するところまで発展していくというストーリーですね。原作は『寒い国から帰ってきたスパイ』などで知られるジョン・ル・カレ（イギリスの小説家、一九三一～二〇二〇年）の小説です。

池上　イラク戦争の開戦の前に、ドイツの情報局が「カーブボール」というコードネームをつけた亡命イラク人がいましたよ。

佐藤　『カーブボール』（ボブ・ドローギン著、産経新聞出版）という本がありますね。

池上　ええ。彼は「イラクで化学兵器の開発・製造に関わった」というニセの情報をドイツ情報局に提供します。ドイツ側は「こいつはいい加減だ、信用できないよ」という注釈を付けながら、ＣＩＡに情報を渡したら、ＣＩＡがそれを信じてしまった。ブッシュ政権はその情報を確実なものとして捉えてイラク戦争に突入していった。いわばフェイクな情報がまさにリアルな戦争を生んでしまったという例です。

佐藤　最近、慶應義塾大学出版会から出た、『なぜ、インテリジェンスは必要なのか』（小林良樹著）という本があります。日本語で書かれたインテリジェンス本の中で、今のところ決定版でしょう。ベースになっているのは、マーク・ローエンタールという、アメリカの研究者が書いた標準的なインテリジェンスの教科書です。著者の小林良樹さんは、高知県警本部長をやったあと、内閣情報調査室（内調）の情報分析官として国際テロを担当した人です。

　ところで、池上さん、高知県警って、警察官は何人ぐらいいます？

池上　さあ、一〇〇〇人ぐらいでしょうか。キャリアは凄く少ないでしょうね。

佐藤　（ちょっと調べて）あ、一六二九人（二〇二一年四月一日現在）でした。

ところが高知県警から内調に移ったら、スタッフなんてほとんどつかない。仕事はワンオペ（ワンオペレーション）で、コピー取りも自分でやらなくちゃいけなかったと言うんです。それで、小林さんはテロ担当だったんですが、国家レベルの判断をしなくてはならないのに、人的リソースは脆弱だったわけです。

とは言え、テロ問題は彼が判断したものしか、総理に上がらなかったんです。そして一度も間違えなかった。その彼が、政策決定者のオーダーに応じて仕事をしてしまう、インテリジェンスのゆがみについて非常に強調しています。それから、インテリジェンスは暴走するから、議会でカチッと管理しないと、とんでもないことになると訴えています。

池上　内部の第一人者が言うんだから、間違いないですね。

■中国とは挨拶はするけど、握手はしない

池上　そうすると、日本は中国との付き合い方を、何をベースに考えていったらいいと思いますか。

佐藤　やっぱり実利だと思います。実利と地政学です。お隣同士にいることの利益と地政学に加えて、政治体制の違いを考えていかなくてはいけない。

なんでさっき、一六二九人の高知県警の話をしたかというと、小林さんは一六二九人のトップだったわけでしょ。その彼が内調に来ると、机一つのワンオペなんです。国家の政策に与える影響は、内調の分析官の方が県警本部長よりもはるかに大きいです。

一方で、中国共産党中央委員会※の弁公庁にいる人たちというのは、その桁違いの何十万人の中のトップが選りすぐられて中央に集められた集団なんです。中国はこういう超エリートを集めるシステムができているわけです。

※中国共産党中央委員会に直属する事務機構。

池上　たしかにそうですね。

佐藤　すると、この中国共産党の能力は、軽く見ないほうがいいと思うんです。

池上　ここでも人口は重要なポイントですね。数は力というか、中国一四億人でしょ。そうすると、当然のことながら、本当に一握りの優秀な人間が日本の一〇倍いるんですよ。どうしようもないのも一〇倍いると思いますが。これは端倪《たんげい》すべからざるものになりますね。

だとしたら、とても対抗できなくないですか。

佐藤　そうですよ。対抗なんてことは考えないで、仲良くやっていくことです。ただし、中国と一体化することはできないし、中国と同盟化することもできない。それはなぜかというと、文明圏が同じで、人数が極端に違うということは、人数の多い方に同化しちゃうからなんです。日本人が日本語をしゃべって、日本独自の文化を持ちたいと思うんだったら、中国との同盟とか、近すぎる関係は避けるべきです。

池上　だから戯画化して言えば、アメリカとは握手をする。中国とは握手はしないけど、お辞儀はすると。お辞儀というのは、挨拶ですね。挨拶はするけど、握手はしない。適度な距離感が大事だと思います。

佐藤　そして、間違えても※暴支膺懲《ぼうしょうちょう》みたいな発想を持たないことでしょうね。

※大日本帝国陸軍で使われたスローガン。「残虐な支那（中国）を懲らしめよ」の意。

池上　たしかに。

佐藤　いまだに日本人の中国観とかロシア観は、戦中戦後の支那通とか、ロシア通と変わっていない面があります。どういうことかと言うと、言語についても文化についても知っている。人脈も持っていると。しかし対等のパートナーと考えていないんです。それだから工作の対象として、自分の思惑通りにいっているときには、かわいい支那人とか、かわいい朝鮮人ということなんだけれども、少しでも自分たちの思い通りにならないと、暴支膺懲とか不逞鮮人みたいな話になってしまうんですよ。

　また、中国は社会主義国だから劣っている、しょせんは後進国がキャッチアップしてきただけだと思いがちですが、こういう見方を改めることですよ。自分を卑下する必要もないし、虚心に相手の実力を認め、対等のパートナーとしてあるべきですよね。

池上　私はよく大学の授業で話をするんですが、例えば中国って、それこそちょっと前までは、あらゆるパクリをしていたわけでしょ。ブランド品の偽物とか、アニメ、車のデザインとか、いろんなことをやった。実は日本も一九六〇～七〇年代には、まったく同じことをやっていたんだよって言うと、学生がビックリするんですよ。

　つまり韓国も中国も、かつて日本が歩んだ道をまったくその通り歩んできている。中国人の観光客が日本でいろんな礼儀を知らない非常識なことをやっているけど、一九七〇年代の初め、日本はヨーロッパでまったく同じことをやった。ブランド品の買い占め、つまり爆買いをやっていたんだよと。それぞれ民族の特異性ではなく、豊かになっていく経済成長の過程においては、どこの国においても、同じことが起きる。そういう分析が大事だという話をしているんですけどね。

佐藤　五木寛之さんの一九七〇年代の小説でも、イランのペルシャ絨毯に魅せられた日本人女性と商社マンの話がありました。『燃える秋』（角川文庫）って知っています？

池上　はい、名作ですね。

佐藤　あれ、もの凄くおもしろいですよね。池上さんがおっしゃったように、その商社マンはペルシャ絨毯のデザインをパクろうとするんですが、それに違和感を覚えた恋人の日本人女性と言い争いになるというのを、五木さんはじょうずに描いているんだけど、七〇年代まで、日本人はそれをやっていたんですよ。

　でも、そのころまでの日本って、まだ活力がありましたからね。

池上　逆に言うと、パクる活力があった。

佐藤　技術でも文化でも、かっぱらってくるぐらいの国の方が、活力があるんですよ。

■それぞれの国の内在的論理を見る

佐藤　それから、中国の帝国主義的な領土拡張の動きにどう対応していくかですが、私は非常に定石通りなので、まずは日米同盟を崩さないということです。

池上　さらに言うと、中国は結局、過剰資本をどう輸出して、どう利益を上げようかということを常に考えているわけです。そこでのウイン・ウインの関係を意識していくことです。経済的なウイン・ウインの関係によって、それが長い目で見ると結局は安全保障につながっていくという戦略が大事なんでしょう。

　習近平以前の中国は、かなり一方的に反日になったことがあったのが、やっぱりここへ来て、反日を抑えているところはあるわけです。それは中国としても、日本との経済関係が大事なので、徹底的な対立にすると、自分の国も傷を負うということがわかっているからです。これは大事な点だと思います。

佐藤　その通りですね。

池上　それから、基本的に例えば対立が起きると、それぞれの国の対立に見えますけれど、実はそれぞれの国におけるさまざまな内政要因というのがあって、どんな内部事情があるのかを見ていかなきゃいけないんでしょうね。

佐藤　そう思います。

池上　だから言葉にすると、対立ばっかりになるんだけれど、中国が持っている内在的な論理、そして日本の内在的な論理というものを、冷静に分析していくことが大事なことなんでしょう。さらに言えば、国内のセクターによって、利害も異なってくるということですよね。

佐藤　そういうことです。あと、仕掛ける側と仕掛けられる側とでは、同じことが異なって見えることも忘れてはいけません。

例えば日中の間にある尖閣問題でも、二〇一〇年九月に、たまたま中国人船長が尖閣諸島周辺の領海内に入ってきて海上保安庁の巡視船に衝突した。捕まえてすぐ釈放しちゃえばいいのに、勾留しちゃった。それで日本は法的手続きに移行した。そしたら、中国のほうが本気で暴れてきて、レアアースの日本への輸出を止めてしまった。

こんなふうに関係がこじれているときに、突然、石原（慎太郎）都知事（二〇一二年当時）がアメリカでの講演で尖閣諸島を東京都で買うと言いましたね。東京都にガチャガチャされたらめんどうくさいから、民主党の野田政権のときに国有化しちゃった。しかし、中国側は、尖閣を国有化するということは、領有権主張に関して日本政府が一歩、歩みを進めてきたと見るわけです。

こうなってくると、いろんな連鎖で、些細な出来事がお互いに違ったように映ってくる。いったん拡張しちゃったトラブルというのは、なかなか元に戻せない。ゆで卵と一緒で、不可逆的ゲル化みたいなことが起きちゃう。元に戻せないから、ここで与件になっちゃうんですね。

外交の場合においては、一度、与件になっちゃったら、力で覆すほどのことはできません。かと言って、放置はできないという、そういうジレンマに入ってしまうわけです。

池上　こうした問題は山ほど、あちこちで出てくるでしょうね。

■共通の敵、柔軟な日中関係

佐藤　あと、もう一つは、環境問題での協力ですよ。

第一章でも少し触れましたが、私は極端な話だけれども、ほんとに核融合技術の開発ぐらい、中国と一緒にどんどん進めていって、早いとこ、小型の核融合炉で海水から電力でもつくれるような態勢でもつくっちゃった方がいいと思う。こういった誰もが必要で、社会のベースとなるようなテクノロジーはいずれにせよ拡散しますから。

池上　なるほど。要するに中国や日本といった一国の独占物にはなり得ないということですね。

佐藤　そうです。こういう技術は、ほんとにアメリカも中国も全部入れて、開発したほうがいいんですよ。核融合炉とか言うと、日本だと非常に評判が悪いんだけど、これは原理的に爆弾にならないわけですから。で、サイズも小さいし。核融合だから燃料は重水素で、つまり海水があればいいわけですからね。そうしたら、エネルギー問題は、抜本的に変わります。

池上　本格的に核燃焼実験の段階まで来ているようですけどね。

佐藤　これに対してエネルギー消費は減らしていくという、斎藤幸平さんの言っているようなことは、現実として可能なのかということです。そのためには過少消費になって、文化を変えないといけないんです。でも、仮に夏のあいだ、エアコンなしで過ごすということになったら、バタバタ、日本人、死にますからね。もうエアコンがある生活に慣れていますから。その意味で、『三丁目の夕日』の時代に戻って、エネルギー消費を減らすことはできないんですよ。

　そう考えると、中国はこの調子で、農村部までが本当に電力を使うようになる。全国民が肉食をはじめるようになったら、二酸化炭素排出量が大変なことになりますよね。だから、中国を巻き込んでいくということを踏まえて、地球温暖化対策や二酸化炭素排出削減対策に関しては、中国との共同プログラムを、本当に魅力あるようなものを、つくっていかないといけないと思う。

だって、ほったらかしていたら、そのうち、中国中でおびただしい数の原発が回るようになりますよ。

池上　対策ということにおいては、共通の敵を認識することです。日本にとっても、中国にとっても、温暖化は敵であるというところで、共通の敵に取り組んでいくことなんでしょう。

佐藤　だから本当は、新型コロナウイルス感染症が出てきたら、日中のあいだでもっと協力態勢が組めるはずなんですよ。それに対して中国を元凶と見なすスタンスで国際的な圧力を掛けても、中国が協力しないのは当たり前です。具体的な協力についてのメニューを提示しながら話していくことが、中国みたいな国の場合には有効ですよ。

池上　なるほど。そもそも中国を敵にするという構えをしてしまえば、協力関係は生まれないということですね。

佐藤　協力をしないことには、向こうに何の影響を与えることもできませんから。

池上　この章では米中関係から話をはじめましたが、いかに柔軟に日中関係を築いていくかというのが結論ですね。

この章で二人が言及した本・映画

『スターリン　独裁者の新たなる伝記』

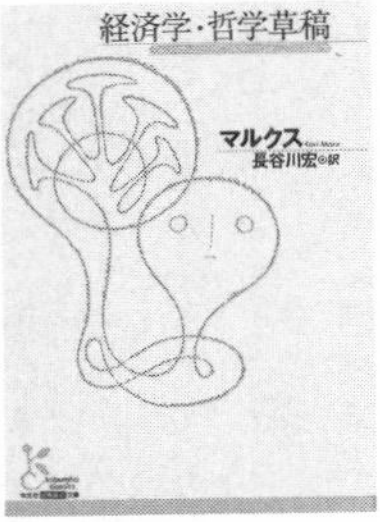

『経済学・哲学草稿』

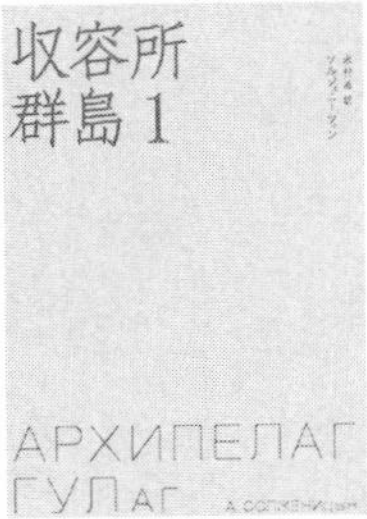

『収容所群島』

『課長　島耕作』

『晩期資本主義における正統化の諸問題』

『カーブボール』

『テイラー・オブ・パナマ』

『燃える秋』

『なぜ、インテリジェンスは必要なのか』

『三丁目の夕日』

【第三章】オリンピックはなぜやめられなかったのか

■一九六四年の東京五輪との違い

池上　東京オリンピック・パラリンピックは開幕前の世論調査で、国民の八割以上が中止か再延期を望んでいたんですが、結局、そんな声は一顧《いっこ》だにされませんでした。

佐藤　今回、ＩＯＣ（国際オリンピック委員会）の対応や態度からわかったのは、オリンピックはまず放映権料ありきということです。最初から最後まで、カネ、カネ、カネのカネまみれであることが改めて可視化されました。

池上　開催時期にしても、莫大な放映権料を払っているアメリカの三大テレビネットワークの一つであるＮＢＣの都合でしかありませんでしたから。日本でスポーツに最適な季節である秋は、アメリカでアメリカン・フットボールやメジャーリーグのプレーオフやワールドシリーズがありますからね。はじめから、とにかく七月、八月にやってくれの一点張りで。

佐藤　猛暑だろうが何だろうが、時期だけが最優先されるというわけです。

池上　一九六四年の東京オリンピックは一〇月開催でした。あのころは開催する都市が時期を自由に決めることができたんです。一〇月に開催を決めたあとで、あれ、待てよ、秋

この章の参考書

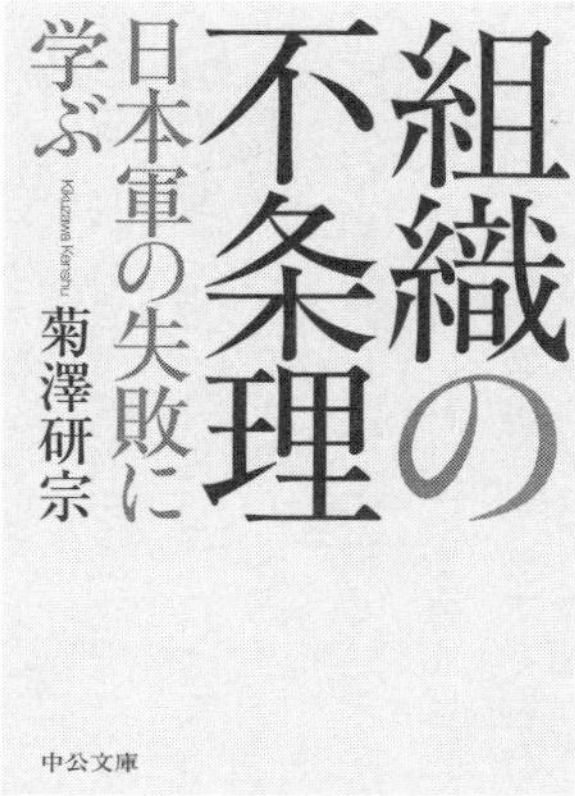

『組織の不条理　日本軍の失敗に学ぶ』

『オリンピック・マネー　誰も知らない東京五輪の裏側』

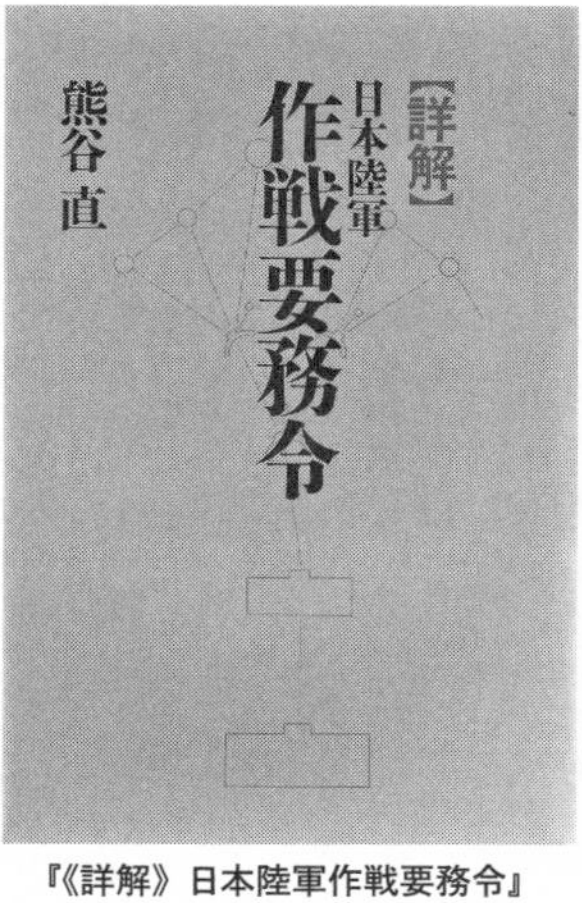

『《詳解》日本陸軍作戦要務令』

『ファスト＆スロー（上・下）』

の長雨というものがあるなという話になった。じゃあ、開会式の日は土日の中で雨が降らない日はないかって、気象庁に無理な調査を依頼して、なぜか一〇月一〇日は晴れの日が多いことがわかって、その日になったんです。

佐藤　われわれの世代からすると、一〇月一〇日は体育の日で、さらに東京オリンピックの開会式が行われた日という刷り込みがある。

池上　さらに言えば、意外に皆さんは覚えていないんですけど、東京オリンピックのころって、本当に大気汚染がひどくて、スモッグでとにかく何も見えなかった。あんなひどいところでマラソンをやらせるのかって、海外から結構な批判があったんです。

佐藤　そうでしたか。

池上　ところが、一〇月九日の深夜から一〇日の明け方にかけて神風ならぬ大雨が降って、スモッグが流された。開会式は土曜日の午後からでしたけど、青空が広がって、中継していたＮＨＫのアナウンサーが、「世界中の青空を全部東京に持ってきてしまったような、すばらしい秋日和でございます」という名セリフを言ったんですね。

佐藤　スモッグなんていうのは身近な日常用語だったんですが、いまの日本ではあまり聞かなくなりました。

池上　そうそう、東京オリンピックでは、実は開会式の翌日からスモッグで大変なことになって、もうひどいもんでしたよ（笑）。

佐藤　池上さんと私だと、東京オリンピックの原体験はだいぶ違うと思うんです。開会式の映像とか、柔道のヘーシンクとか、見たような記憶があるんですけど、それは後に母親から聞かされたか、あるいは後に見た映像が記憶の中に焼き付いたものだと思うんです。なにしろ四歳だから、見たとしても覚えているはずがないんです。

池上　私は一四歳の中学生ですから、テレビ中継にくぎ付けでした。もちろん白黒テレビですが。

佐藤　あれでテレビを買った人も多かった。

池上　だから、生活自体もオリンピックを契機にして変わったところが多いんです。開催される前に東京中を挙げて、街をきれいにしようとする一大キャンペーンがあったんですよ。外国からお客さんが来るのに恥ずかしいって。例えば、東京の国道２４６号の青山通りのあたりは二倍の広さに拡幅された。あの辺の人たちは強制的に移転させられました。

■オリンピックというものに抱く幻想

池上　当時の映像を見ると、みんな道路にポイポイ、ゴミを捨てているんです。ゴミは道路に捨てるものだったんです。それで恥ずかしいから、ゴミはゴミ箱に捨てましょうということで、いろんなところにゴミ箱が設置された。それから、痰《たん》は痰ツボに吐きましょう（笑）。国鉄・私鉄の駅のホームには全部、白い素焼きの痰ツボが設置されました。いまにしてみれば冗談みたいな話ですが。

佐藤　痰ツボはその後も長い間、置かれていました。おじさんとか、痰がツボに入るように見事に吐いていましたものね。

池上　その痰ツボも今やなくなりました。あのとき、東京都が東京都民に全戸配布のチラシを作って、痰のことだけじゃなくて、立ち小便はやめましょうと呼びかけましたからね（笑）。そのチラシは江戸東京博物館に展示してあります。

佐藤　東京都民はまさに、パジャマでの外出を禁じた二〇〇八年の北京オリンピックの北京市民よりも程度が低かったわけです。

　私なんかは小学校二年生（一九六七年）のときの埼玉国体で、ミニオリンピック体験をしているんです。国体が開かれたおかげで、砂利《じゃり》道《みち》が舗装道路になり、戦災を受けた廃材でつくられた大宮駅が建て直され、競技場がある上尾の公園が整備された。

池上　オリンピックのあと、全国の国体って、みんなある種のミニオリンピックになりましたよね。入場行進にしてもオリンピックの真似です。

佐藤　あと例えば、国鉄の社宅が木造から鉄筋に変わったり、公園に水道がつけられたりとか。インフラが整備され、街が目に見えて変化する。国体ですらそういう近代化の効果がありました。その意味では、途上国にとってのオリンピックは、非常に大きな意味合いがありました。

池上　かつてはそうでした。

佐藤　しかし、オリンピックというものに抱く幻想——つまり国がそれによって経済的に浮上するという幻想は、今回の東京五輪でも引きずっていましたね。一九六四年にはスモッグで大変だった日本が、環境先進国と言える偉大な国になった。このすごい日本だから、今回の新型コロナウイルスも乗り切れるだろうというわけです。

池上　二〇二〇年三月にオリンピックの一年延期を決めたときに安倍晋三首相（当時）は、「今後人類が新型コロナウイルス感染症に打ち勝った証しとして、完全な形で東京オリンピック・パラリンピックを開催するために、ＩＯＣ、バッハ会長と緊密に連携をしていくことで一致をした」と言っていましたから。そもそもの招致運動のときに安倍首相が謳《うた》っていたのは東日本大震災からの「復興五輪」でしたが、そんなものはどこかに消えちゃいました。

佐藤　皮肉なことに、復興庁のポータルサイトには、「復興五輪」のページはいまだに残っています。

■オリンピックに熱狂するのは一部の国だけ

池上　当時の売り込みのときには、福島原発の汚染水はもうアンダーコントロールにあると強弁していました。さらには、経費をかけない、質素なオリンピックにするとも言っていました。終わってみれば、実際には、関西大学名誉教授の宮本勝浩氏の試算によれば、東京オリンピック・パラリンピックの支出は約二兆七九三〇億円で、赤字は約二兆三七一三億円と莫大な数字に上るそうですよ。

佐藤　莫大かどうかは相対的な問題なんです。国民一人に一〇万円の給付金を配ったら、一二兆円。それに比べたら赤字は六分の一だから、少ないじゃないかとか、数字については何とでも言えますからね。

今度のオリンピックを考えると、やっぱり「験《げん》」というのがあって、そもそもデザイナーの佐野研二郎氏が盗作疑惑を持たれたエンブレムからケチがつきましたからね。

池上　ホントですよ。それが二〇一五年のことです。

佐藤　東京都知事にしても、猪瀬直樹氏がブエノスアイレスのＩＯＣ総会でプレゼンテーションを行ったのが二〇一三年九月で、そこから三カ月で辞職。替わった舛添要一氏も二年四カ月で辞職します。最後が小池百合子氏です。これほど頻繁に入れ替わったのも験が悪い。

池上　招致する主体のトップが次々と替わっちゃったわけですから。

佐藤　オリンピックスタジアム（新国立競技場）の建築家でもケチがついた。

池上　あの競技場にしても、イラク出身のザハ・ハディッドのデザインを高くつきすぎると言ってボツにして、代わりに採用された隈研吾氏のものが聖火台をつけるのを忘れていたという、信じられないくらい間抜けなことが起きましたよね。

佐藤　組織委員会会長が辞任したり、開会式の演出家が次々と替わったりして、天がそういう形で、これは験がよろしくないよと、最初から開催直前までシグナルを出し続けていたわけです。

池上　これだけ不祥事が次々と起きて、それが世界に報じられたのは前代未聞のことでしょう。

オリンピックをめぐる日本の特殊事情について言っておきますと、日本は国を挙げてオリンピックムードになりますけど、欧米から見たらそれは異常な光景として映るんです。これもテレビの放映権が絡んだ話なんです。

例えばアメリカはＮＢＣが放映権を握っているから、ＡＢＣもＣＢＳもいっさいオリンピックには触れません。ＮＢＣにチャンネルを回されますから。イギリスもＢＢＣが放映権を持っていますから、ＩＴＮとかの民放はオリンピックを取り上げない。だから、そもそもオリンピックをやっていることすらわからなかったりします。世界はどこもそうなんです。

佐藤　日本といくつかの国だけが違うわけですね。

池上　日本は一局だけで放映権なんか持てないので、ＮＨＫと民放各局がコンソーシアムを組んでみんなで契約する。あとは、ＮＨＫと民放がどの競技を中継するかを抽選で割り振るんです。開会式と閉会式はいちばんお金を出しているＮＨＫが担当しますが、残りは各局の編成担当者がクジを引く。

佐藤　メダルの可能性がある競技を引いたら、会社からホメられるわけですね。

池上　結果的に日本はどの局でもオリンピック中継をして、国中が熱狂する。この事情は韓国も同じです。オリンピックに国を挙げて熱狂するのは、アジアの一部と社会主義諸国ぐらいなんですね。

■幻のモスクワオリンピック

佐藤　私は一九八八年のソウルオリンピックのときにモスクワにいましたが、まだソ連の時代で、すべての放送局でオリンピックを流していました。この点で、日本とソ連は似ていたわけです。

　そうすると、日本が参加をボイコットした一九八〇年の幻のモスクワオリンピックですけど、あれは全国朝日放送（後のテレビ朝日）が一社独占の中継権を獲得するというすごい横紙破りをやったわけですね。

池上　そうそう、元凶は三浦甲子二《きねじ》氏です。

佐藤　全国朝日放送の三浦氏が、独自のソ連ルートであるコワレンコ（イワン・コワレンコ、元ソ連共産党国際部日本課長）・ルートを使った。

池上　あのときは大騒ぎでしたよ。当時、「マスコミの三悪人」と呼ばれたのが、読売新聞のナベツネ（渡邉恒雄）、ＮＨＫのシマゲジ（島桂次）、そして日本教育テレビ（ＮＥＴ）の三浦氏です。そもそも三浦氏は朝日新聞最強の実力者と言われ、人事を壟断《ろうだん》していたんですが、社内政争に敗れ追放されて日本教育テレビの取締役になる。日本教育テレビは全国朝日放送と名前を変えたんですが、その社名変更をアピールするために、三浦氏が横紙破りをしてモスクワオリンピックの一社独占契約を果たすんです。

　全国朝日放送は全国のネットワークが少ないため、沖縄とか長野、島根、鳥取とかいろんな県でオリンピックが見られないから大ブーイングになった。すると、全国朝日放送が、うちとネットを結んでいないところにも特別に中継を認めてやろうと、おこぼれをくれてやるみたいな話をはじめたんです。

佐藤　ところが、開催前年の一九七九年にソ連がアフガニスタンに侵攻したから、これを西側諸国がボイコットすることになった。じゃあ、テレビ各社は全国朝日放送のことをいい気味だと思ったでしょうね。

池上　はい、ざまあみろとみんな思ったんですね。全国朝日放送は前身が日本教育テレビでしょ。スポーツ中継なんかやったことがなかったわけです。そこでスポーツ中継用のアナウンサーを急遽、大量に採用したんです。それが古舘伊知郎さんであり、宮嶋泰子さんや渡辺宜嗣《のりつぐ》さんですね。そういう人の一人がその後「報道ステーション」のメインキャスターにまでなってしまった。

佐藤　面白いですねえ。肝心のオリンピックで日本の参加がなくなったとはいえ、ちょっとした出来事で、いろんな人の運命が変わっていくものなんですね。

池上　モスクワの次のロサンゼルスオリンピック（一九八四年）では、今度はソ連が報復する形で参加をボイコットするわけでしょ。オリンピックを国威発揚のために使っていたソ連がボイコットするわけですから、まさに冷戦の真っ只中でした。

■オリンピックとテロ

池上　さらに言うと、そもそもオリンピックを国威発揚に使ったのは一九三六年のヒトラー（アドルフ・ヒトラー、ドイツ第三帝国の総統、一八八九〜一九四五年）のベルリンオリンピックでした。

佐藤　その通りです。

池上　聖火リレーはベルリンオリンピックからはじまったんです。アテネからベルリンまで聖火リレーをしようとドイツが言いだして、それは素晴らしいと周りの国々は賛成した。実は、そこにはドイツに裏の目的があって、アテネからベルリンまでどの道を通ればいいかの事前現地調査だったんです。そして、第二次世界大戦で、ヒトラーの戦車は、そのときに調査した道路を逆行して進軍するわけなんです。

佐藤　進軍の予行演習だったんですね。ひどい話ですね。

池上　ボイコットで言いますと、中国は新疆ウイグル自治区の問題で、二〇二二年の北京冬季オリンピックで欧米諸国にボイコットされることを心底恐れていますね。

佐藤　ウイグルにはテロリストが結構いますから、テロの問題も出てきます。

池上　五輪とテロも歴史がありますから。例えば一九七二年のミュンヘンオリンピックではイスラエルの選手一一名が殺害されました。

佐藤　オリンピックテロに関しては、イスラエルの国際カウンター・テロリズム政策研究所のボアズ・ガノール教授が言っていたんですが、みんなが心配するのは、「イスラム国」（IS）とかウイグルのテロだけれども、そうじゃないんだ。ミュンヘン型では、パレスチナの武装組織「黒い九月」がイスラエルに対してテロを行った。要するにテロは国際的に注目が集まる場所で行われる。

池上　ドイツに何かしてやろうと考えている国ではなくて、ドイツに関係のない第三国同士の問題によるテロが起きたわけですね。

佐藤　だから、普段は意識もしていないような、テロに関する情報を世界中から集めることが重要なんだと、教授は言っていました。

池上　実は、二〇一九年にテレビ東京の企画で、ミュンヘンオリンピックのテロについて取材に行ったんです。いろいろ話を聞いていましたら、対テロの専門家が、ミュンヘンオリンピックで起こり得るさまざまなテロのパターンのうち、パレスチナのテロの可能性も提示していたというんですよ。ところが、ドイツは連邦国家なので、ミュンヘンの州警察が、そんなことあるわけがないって却下したんですって。

佐藤　連邦国家の弱さを突かれましたね。

池上　当時、国家全体としての特殊部隊はなかった。このテロをきっかけにして、GSG−9（ゲー・エス・ゲー・ノイン）が、オリンピック終了直後の九月末に作られるんです。

佐藤　そういう意味では、今回の東京五輪は、不特定多数の外国人の観客が入って来られませんでしたから、テロの心配のない非常に安全なものだったわけです。

池上　ソーシャルディスタンスで人が密に集まるところもありませんでしたしね。

■ＩＯＣの恐るべき闇

池上　それで、オリンピックを一段深く考察するために最初に取り上げたい参考文献ですが、後藤逸郎さんの『オリンピック・マネー　誰も知らない東京五輪の裏側』（文春新書）です。

佐藤　冒頭で申し上げた、オリンピックが「最初から最後まで、カネ、カネ、カネのカネまみれ」である実態が、イヤになるほど詳細に書いてあります。

池上　そもそも招致する段階から巨額の金品が動いているのは、一九九八年の長野冬季大会からそうでした。同書には、「長野冬季オリンピック招致委員会は一九九〇年八月、スイスの広告エージェント会社『スタジオ6』とオリンピック招致に関する情報提供などに四十五万スイスフラン（当時約四千五百万円）を支払う契約を結んだ」とあります。

さらに東京五輪では、「二〇二〇年東京大会招致をめぐり、国際陸連元会長でＩＯＣ元委員のラミン・ディアクの息子パパマサッタと関係の深いコンサルティング会社『ブラック・タイディングス』社へ、東京五輪招致委員会がロビー活動などの対価として二億三千万円を支払い、招致委員長だった竹田恒和ＪＯＣ会長兼ＩＯＣ委員が贈賄容疑で仏司法当局の捜査対象となった」とあります。

佐藤　みなさんは国際機関に対して幻想があるんだけれども、外交官として直に横から見ていて私が思ったのは、国際機関の選挙というのは、公職選挙法のない選挙運動ですね。現ナマはいくらでも飛び交うし、マフィアも暗躍します。

池上　ああ、そうでしょうね。

佐藤　しかも、長野のときには、「カネの流れを記録した会計帳簿を焼却したとして、大きな批判を浴び」、東京大会の招致書類も、「二〇二〇年大会分も行方不明」で、ともに記録がなくなっていますよね。

池上　さらにひどいのは、ＩＯＣメンバーたちの報酬ですよ。「二〇一五年四月、（トーマス・）バッハ会長の報酬が年間二十二万五千ユーロ（二千九百四十七万円）であることが公表された」というんです。しかし、ＩＯＣには関連ＮＰＯと関連会社が山のようにあって、「バッハ会長をはじめとする理事は、ＩＯＣが設立した財団や、子会社、孫会社など、いわゆる関連会社の役員も務めている。これらの財務、報酬は非公開である」わけです。

佐藤　放映権料の闇はさらに深い。一九六〇年のローマ大会では放映権料は全世界でたったの一〇〇〇万ドル余だったのが、一九八四年のロサンゼルス大会では二億二五〇〇万ドルと莫大なものに膨れ上がっています。公金を入れない約束で開催にこぎつけたロサンゼルス大会では、オリンピック組織委員会のピーター・ユベロス委員長が辣腕《らつわん》をふるって、組織委員会の取り分は三分の二（一億五〇〇〇万ドル）でＩＯＣが三分の一（七五〇〇万ドル）にした。

つまり、ＩＯＣは組織委員会に煮え湯を飲まされる形となり、これ以降、ＩＯＣはユベロス方式のノウハウを取り込んで、儲け主義の一途をたどっていくことになるんですね。

池上　朝日新聞の報道によれば、ＩＯＣは、「２０３２年までの夏冬6大会における米国内での放映権について、米ＮＢＣと76億5千万ドル（約７７８０億円＝当時）の契約を結ぶ」とあります。これに世界各国の放映権料が加わったら、もの凄いことになります。しかも、無観客でも放映権料を受け取ることができるわけですから、ワシントン・ポスト紙がバッハ会長のことを「ぼったくり男爵」（Baron Von Ripper-off）と批判したことにはそれだけの理由があるわけです。

佐藤　バッハ氏は日本の新型コロナ感染拡大がどれだけひどいことになろうとも、開催する意志だけは微動だにしませんでしたからね。

私は後藤さんの著作を支えているものは彼の良識だと思うんです。ではその良識を実現するために、日本側の利益をＩＯＣに押し付ける力が日本にあるかどうかと言えば、その力はなかったというのが結論ですね。

■限定合理性で突き進んだ日本軍

佐藤　では、東京五輪の赤字が数兆円まで膨らみ、新型コロナウイルス感染者も激増することは予想できたわけなのに、なぜ開催に突っ走ることになったのか。

池上　なぜ途中でやめることができなかったのか、ですね。

佐藤　やめるということも含めてシミュレーションできるような強さが、この国には潜在力として本来はあるはずなんです。それがなぜできなくなっちゃったかという問題です。

池上　私はやっぱり先の大戦のことを想起しますね。

佐藤　そうなんです。その説明をするのに最適な参考書は、菊澤研宗氏の『組織の不条理　日本軍の失敗に学ぶ』（中公文庫）です。これは日本軍の失敗を新しい経済学理論で分析した本で、私はこの本がなんでもっとブームにならないのかと不思議に思うんですよ。

池上　日本軍の失敗と言えば、『失敗の本質　日本軍の組織論的研究』（戸部良一ほか著、中公文庫）ばかりが取り上げられますからね。

佐藤　『失敗の本質』はリスク管理の古典のように言われていますけど、『組織の不条理』のほうがはるかに優れた本です。例えばガダルカナル戦の章は、東京五輪をメタ理論で切るのにもっともふさわしい。

池上　ガダルカナル島はオーストラリア近海に浮かぶ孤島で、米豪を遮断《しゃだん》する作戦を進めていた日本海軍陸戦隊が上陸して、飛行場の建設を進めていました。この島が日本本土攻撃にとって重要であることを認識した米軍は、いち早く上陸して占領してしまうんです。それを奪還しようとして、一九四二年八月以降に行われたのがガダルカナル戦です。近代兵器で迎え撃つ米軍に対して、日本軍が三回にわたる伝統的な白兵突撃作戦を繰り返すことで、完全に殲滅《せんめつ》された戦いです。

佐藤　本書では、次のように結論づけられています。

「今日、完全合理性の観点から、ガダルカナル戦では、一回目の白兵突撃作戦の後、日本軍はすぐに退却すべきであったとか、あるいは、兵力を小出しにするのではなく最初から総攻撃を仕掛けるべきであったとか、あるいは日本軍も火力中心の近代戦術を採用すべきであったとか、批判的にいわれている。

しかし、もしすべての人間が神ではなく限定合理的であるならば、一度踏み入れた戦術をいとも簡単に放棄できない場合がある。とくに、ガダルカナル戦では、長い年月をかけて構築し、多大なコストをかけて教育してきた白兵突撃戦術を一夜にして変更し、放棄するには、あまりにもコストが大きかったのである。しかも、戦術を変更するためには、多くの人間関係上の駆け引きやトラブルなどの取引コストも発生する状況にあった。

　このあまりに高い埋没コストや取引コストを考慮にいれると、後もどりして確実に巨大なコストを発生させるよりも、むしろかすかな勝利の可能性さえあれば、たとえ非効率な戦術であろうと、それを変更することなく、このまま未来に向かって進む方が合理的となる」

池上　ガダルカナル戦と言えば、白兵突撃戦を繰り返した日本軍の無謀さの象徴のように語られてきました。しかし、これを読むと、当時の戦争の渦中にいた日本軍人たちは、非常に合理的な判断にもとづいていたというのが皮肉ですね。

佐藤　はい、合理的であっても、限定合理的であり部分合理的であった。われわれの判断というのは、つねに合理的であろうと努力しても、それは限定的な合理性の中にあるということですね。

　これを東京五輪にあてはめれば、オリンピックをやめたら、それ以前にかかった費用がすべて埋没コストになってしまう。その意思決定をするよりも、突っ込んじゃった方が楽である。これを集積として見ると、きわめて合理的である。しかし、それは全体として見たときには不条理そのものだというわけです。

池上　「個別合理性と全体効率性は必ずしも一致しない」とも書いてあります。人はいかに部分合理性に囚われてしまうかということですね。

■東京五輪はそもそもやるべきだったのか

池上　経済学で別の言い方をすると、これは「サンクコスト（埋没費用）」そのものです。つまり、ここまで費用をかけてきたんだから、今さらやめられない。途中で中止、撤退しても回収できない費用のことですね。大変な金額が無駄になるじゃないかってことです。

　ミッドウェー海戦だって、そこで負けたところでやめておけば良かったのに、これまで犠牲になった英霊に申し訳ないと言って戦争を続けて、それまでよりもはるかに多くの人命が失われたわけです。

佐藤　戦争ではサンクコストが山ほど出てきますからね。

池上　あるいはかつてベストセラーとなったダニエル・カーネマンの『ファスト＆スロー

あなたの意思はどのように決まるか？（上・下）』（ハヤカワ・ノンフィクション文庫）が言うところのプロスペクト理論というやつです。

その特徴は、「損失回避性（loss aversion）である。損失と利得を直接比較した場合でも、確率で重みをつけた場合でも、損失は利得より強く感じられる」。つまり、損得が大きくなると、得よりも損を重く感じる。東京五輪で言えば、「こんな段階でオリンピックをやめたりしたら、大変な損害になる」ということになります。損害を減らそうとして、結果的にかえって費用が掛かってしまうわけです。

佐藤　オリンピックに突入してしまった段階ではガダルカナル戦で説明できるんですが、もう少し前の段階ならばインパール作戦が近いんでしょうね。

池上　インパール作戦はビルマを攻略した日本軍が、インド侵攻のために、世界屈指の密林を越えてインドのインパールに進撃する作戦です。しかもその密林は、コレラ、マラリア、チフス、赤痢菌の巣窟だった。兵隊は戦死というよりも、飢えと病気で死んでいった。日本軍が展開した作戦のなかでも最悪と言われているものです。

佐藤　インパール作戦については、『組織の不条理』の菊澤氏はこう論じています。

「大本営は、第一五軍司令官牟田口廉也中将が独断専行（モラル・ハザード）しないように、インパール作戦を実行するのでもなく中止するのでもないあいまいな『作戦実施準備命令』を長期にわたって出し続けた。こうしたあいまいな状況のもとに、一方で良識的なインパール作戦反対派は作戦が中止されるものと考えて合理的に舞台から下り、沈黙した。他方、様々な個人的政治的利益をもつ賛成派は、作戦を実行するために合理的に舞台に躍り出てきた。とくに、彼らにとって、インパール作戦による勝利の確率がゼロでない限り、この作戦を中止することはあまりにもコストが高かったのである。

こうして、成功する見込みのないインパール作戦は承認され、実行されていった。それは、人間の非合理性がもたらした現象ではなく、利害の異なる人々の意図的に合理的な行動がもたらした意図せざる帰結だった」

池上　インパール作戦から演繹《えんえき》されるのは、「そもそも東京五輪は、果たしてやる必要のある作戦だったのか」という設問です。

佐藤　オリンピックという作戦自体――一九六四年の東京オリンピックや一九七〇年の大阪万博もそうですが――が、これから上り坂に向かっていく状況にあってはその意味合いはあったと思うんです。ところが、かなり前から水平飛行に入っている、もしくは少し高度が落ちつつある今の日本で、さらに高度を上げるような作戦を取るべきだったのかどうか。そもそも論を言えば、やはりやる必要のない戦いだったんじゃないか。

池上　それと、インパール作戦との類似性でいえば、開催についても、開催を決定するのでもなく中止するのでもないあいまいな状態がずっと続きました。数少ないまともなオリンピック関係者でＪＯＣ理事だった山口香さんが『中央公論』（二〇二一年九月号）で語っていましたが、新型コロナウイルスの感染が拡大するたびに、「五輪は開催されるのか」が話題となり、関係者からは「二〇二一年の三月ぐらいに開催するかを決める」という発言があったりしました。結局はまったく議論されないままに、開催に突っ込んでいきましたから。

佐藤　議論を徹底して避けたという点でもインパール作戦に似ていますね。

■皇軍の伝統は生きている

池上　そういえば、二〇二一年の一月、森喜朗氏がまだ組織委員会の会長だったときに、複数のメディアが世論調査をやって、オリンピックについて年内の開催に否定的な声が八割に達したことを発表したんです。そしたら、森さんが、「世論調査にはタイミングと条件がある」、なんでこんな時期に調査なんかするのか、私には疑問があると言いました。

そのとき、NHKがオリンピックはどうすべきかという大討論会番組の準備を進めていたんですが、森さんの発言があった途端、突然、中止命令が出たんです。

佐藤　それはやっぱり、日本軍の伝統に従っていると思います。参謀本部は、第一部が作戦、兵站《へいたん》、編制、動員で、第二部が情報収集、宣伝、第三部が運輸、通信で、第四部が戦史編纂でした。戦争が始まったら、戦史に学ぶ必要はないと言って、第四部を廃止しちゃいましたよね。

だから、余計な歴史に残るようなことは調べるな、余計なシミュレーションはするなというのは、皇軍の伝統にのっとっているわけです。重要なのは必勝の信念である。オリンピックをやり遂げる信念が重要なときに、そういうノイズを出すなってことです。

池上　さきほどの合理性の話で言うと、反対が出ない方が効率がいいという考え方になるんですね。

佐藤　どうせ力で押し切るんだから、反対意見に対応しているほうがロスになるという部分合理性が生まれてしまう。

ついでに触れておきますと、皇軍の伝統という意味では、『《詳解》日本陸軍作戦要務令』（熊谷直著、朝日ソノラマ）も参考になります。

池上　『作戦要務令』というのは、日本陸軍が昭和一三年に作成した一般将校のための戦術命令書ですね。

佐藤　そうです。ポイントは綱領の第五です。

「およそ兵戦〔戦闘〕のことたる、独断を要するものすこぶる多し。しかして、独断はその精神においては決して服従と相反するものにあらず。常に上官の意図を明察し、大局を判断して、状況の変化に応じ、みずからその目的を達しうべき最良の方法を選び、もって機宜《きぎ》〔最良の機会〕を制せざるべからず」

池上　独断専行ですか。

佐藤　そうです。時間のコストを考えて、独断専行する。それで成果が出ればいい。逡巡は良くない、こういう考え方です。

池上　思考を狭めることによって、時間を短縮するわけですね。

佐藤　それから情報もそうです。情報についてはある段階で見切りをつける。だから、時間コストを非常に重視するんです。

池上　森さんが会長を辞任したあとに、後任を川淵三郎さんに勝手に決めたのもそのロジックですね。

佐藤　独断専行だが、川淵君、あとは頼むとやったわけでしょ。

池上　そういう意味では、川淵さんと森さんは阿吽《あうん》の呼吸で通じていたんですね。結局、その案はあっけなくひっくり返されて、橋本聖子さんになるわけですけど。

佐藤　考えてみれば、「アベノマスク」の配布なんかも独断専行のいい例ですね。危機の状況においてはそれが許される。だから、皆さん、作戦要務令どおりに行動されている。ただ、作戦要務令どおりにやると、当たるときは当たるんだけれども、外れるときは大きく外れる（笑）。

池上　まさに、マスクは大きく外しましたよね。

佐藤　作戦要務令や統帥《とうすい》綱領《こうりょう》を読むと、日本型組織の問題点というものが、うまくマニュアル化されていることがわかります。

池上　要務令に沿って日本型組織がつくられたんじゃなくて、組織のエッセンスを抽出してできたのが要務令だからなんですね。

■複数の部分合理性を知ることの重要性

池上　陸軍の教育を考えると、それこそ陸軍大学校などというのは、与えられたものを徹底的に丸暗記して、それを見事に吐き出すのが正しいことで、それによっていい成績を取る教育でした。まさに部分合理性の権化《ごんげ》です。

佐藤　そうです。恐ろしいのは、そうした陸軍の参謀みたいな人間が、戦後の制度設計にも深く関与したことです。

池上　戦後の日本において、かなり改善されたとは言え、陸軍のように与えられたことを一生懸命に覚え込むという教育がずっと行われてきました。エリートであるはずの今の官僚が部分合理性の権化になってしまったのもわかる気がします。

佐藤　だから私は逆に、複数の部分合理性を知っていることが非常に重要なんじゃないかなと思うんです。

私の場合で言いますと、高校時代の受験競争という部分合理性の世界がイヤで、そこから抜け出して触れたのが社青同（日本社会主義青年同盟）でした。そこの労働大学に通って勉強したのがマルクス経済学ですから、社青同の中にある部分合理性の世界を知ったわけです。それから同志社大学で神学部の世界に入ったら、部分合理性の世界とはぜんぜん違っていたわけなんです。

池上　じゃあ、すでに三つの世界を知ったということですね。

佐藤　そうです。それぞれの人たちにはそこの掟があって、その掟の中で生きているのだけれど、別の人には別の掟がある。ただ、一つの掟をもって全体を支配しちゃうような人とは付き合いきれないなという感覚を持ったんです。結局、私はこの一九歳から二五歳のときまでについたその感覚で今まで来ているんですね。

■共同主観性という根っこ

佐藤　東京五輪に話を戻しますと、理論的には限定合理性の帰結として開催に突っ走るという不条理が導き出された、そこまでは完璧に説明がつくんです。それなら、もう一段上のメタ理論から考えてみる必要がある。なんでそこから抜け出せないのか、あるいは、なんでそこに走っていってしまうのかという大いなる謎ですね。

池上　それは難しい設問です。

佐藤　そこで一つ視点を与えてくれるのは、フッサール（エトムント・フッサール、ドイツの哲学者、一八五九～一九三八年）が考えた「共同主観性」(Intersubjektivität) という概念です。それは「『正しい』と皆が思っていることは、皆が『正しい』と認めているから正しいにすぎない」という考え方です。例えば日本では、いくら靴がきれいでも、他人の家に土足で上がることはできません。でも、欧米ではそれが当たり前です。

つまり、私たちが他人と分かり合えるのは、相手と「共同主観性」を分かち合っているからです。すべての「主観」は、日本人なら日本人、欧米人なら欧米人といった、ある集団の中での「共同主観」なんです。政治家にも科学者にも、官僚にもビジネスパーソンにも、それぞれの共同主観性があるんですね。

池上　たしかに「共同主観」がなければ、社会が成り立っていきません。

佐藤　今回、東京五輪をめぐっては反対が大多数だったのに、推進しようとする人たちがお互いにすごく結びついてしまった部分がある。強力な共同主観性があったから、そこから抜け出せなかったんでしょう。

池上　ああ、それについては、後藤逸郎さんの『亡国の東京オリンピック』（文藝春秋）に興味深い記述があります。

「オリンピックをやれば観光客が増えると思った政治家や、オリンピック需要で儲かると思った経済人、ホームでやればメダルが獲りやすいと思ったスポーツ関係者が三位一体となって招致した」。さらに、日本は「一九五二年以降で計算して、五十八年四カ月、実に八四％にあたる期間をオリンピックの誘致運動あるいは開催に向けての準備に費やしています」。つまり、「日本はオリンピック中毒あるいは依存症になっている」と言っています。そういう強固な共同主観性が根っこにはあったわけですね。

佐藤　ええ、ですから、今後もこの種のことが続いて起きてくる。少し考えればわかるのに、誰も止められない。それで誰も責任を問われない。二〇二五年に予定されている大阪万博でも起きるし、まずい決定をわれわれはやり続けるということになるんじゃないでしょうか。

池上　このあとも同じような失敗をしないように、きちんと今回の東京五輪を検証しておくことが大事ですね。

佐藤　ええ。でも、検証して失敗しないという進歩史観よりも、私は『大衆の反逆』（ちくま学芸文庫）のオルテガ（ホセ・オルテガ・イ・ガセット、スペインの哲学者、一八八三～一九五五年）のように考えてしまいますね。古代ローマの詩人ホラティウスの頌歌《しょうか》を引いた一節です。「祖父母に劣れる父母／さらに劣れるわれらを生めり、／われら遠からずして／より劣悪なる子孫を儲けん」。そういう下降史観を取るのであれば、ある意味で、納得できるかもしれません。

池上　お先が暗い結論になっちゃいましたね。

この章で二人が言及した本

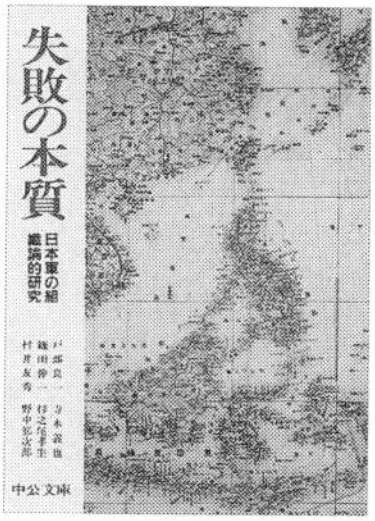

『失敗の本質　日本軍の組織論的研究』

『大衆の反逆』

『亡国の東京オリンピック』

【第四章】 愛読書から見るリーダー論

■菅義偉の愛読書『君主論』のインパクト

池上　「本棚を見ればその人物がわかる」と言われますが、この章では主として日本の政治家について見ていきます。

最初に菅義偉《すがよしひで》前総理ですが、彼の愛読書で自ら公言しているのはマキアヴェリ（ニコロ・マキアヴェリ、イタリアの外交官、一四六九〜一五二七年）の『君主論』です。

佐藤　ほかにもあるようです、『リーダーを目指す人の心得』（コリン・パウエル／トニー・コルツ著、飛鳥新社）。

池上　パウエルと言えば、『マイ・アメリカン・ジャーニー』（角川文庫）という分厚い自伝があるんですが、菅さんはこの本を選ばずに、お手軽な自己啓発本の方を選んじゃうんですね。

佐藤　ほかにもありますよ、『豊臣秀長　ある補佐役の生涯』（堺屋太一著、ＰＨＰ文庫）。産経新聞で菅さんが書評を書いています。こういう周辺的なものを読んで、あえて難解な本は読まないことにしているんでしょうか。

池上　でも、このパウエルの本は面白いですよ。冒頭に「コリン・パウエルのルール（自戒13カ条）」というのがあるんですが、「4．やればできる」「12．恐怖にかられるな。悲

この章の参考書

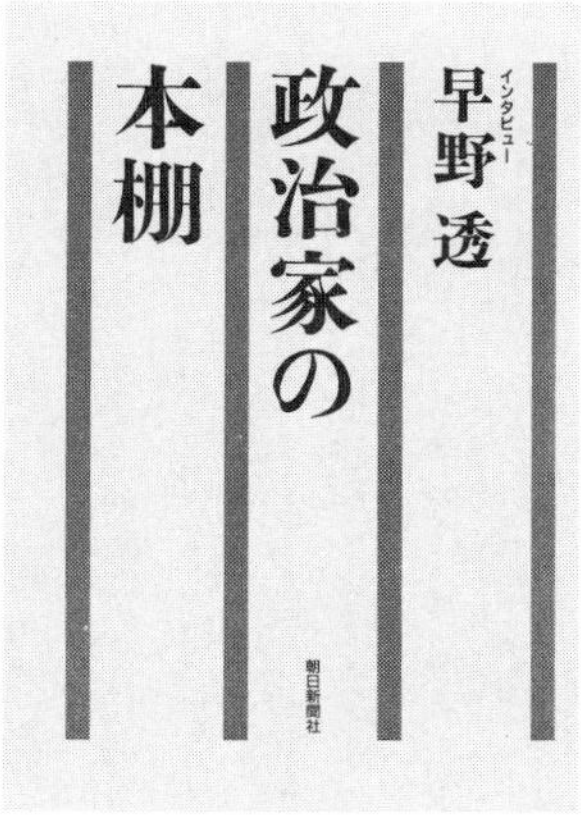

『政治家の本棚』

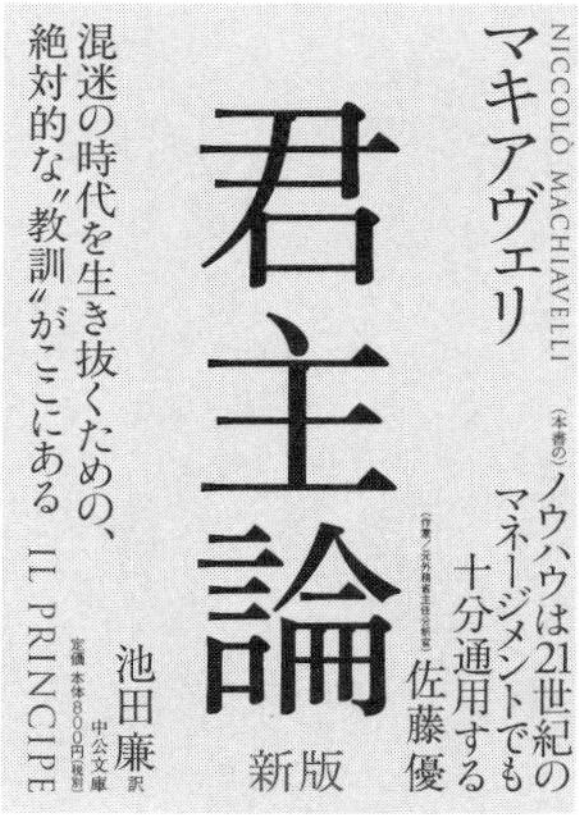

『君主論』

観論に耳を傾けるな」「13．楽観的でありつづければ力が倍増する」ですって。

佐藤　東京五輪に突き進むときに、そうした言葉で自分を鼓舞《こぶ》していたのかもしれませんね。「1．なにごとも思うほどには悪くない。翌朝には状況が改善しているはずだ」。これなんかも意味深長です。パンデミック下では、この言葉が支えになっていたのかもしれません。最終的にはパウエルの「自戒13カ条」の神通力も尽きて辞任しちゃいました。

池上　それで問題のマキアヴェリの『君主論』ですが、そもそもそれを愛読書に挙げたら、警戒されたり、権謀術数に長けた腹黒い男だと思われたりするわけですよ。

佐藤　それが予想される普通の反応です。

池上　ここで私は疑問があって、そもそも菅さんはこの本について詳しくないから、警戒されることを知らないまま能天気に言っているのか。あるいは第二の可能性として、マキアヴェリの有名な言葉――「愛されるより恐れられるほうが、はるかに安全である」から、ほんとに怖い人なんだと官僚たちを怯えさせるために敢えてこの書物を挙げたのか。どっちだろうと思っているんですけど。

佐藤　三番目があります。そういうことをまったく考えないで、自分が知っている中で難しそうで、一番かっこ良さそうな本がこれだということで挙げた。俺だって、難しい本は読んでいるんだぞと虚勢を張る。

池上　そりゃ、ひどい（笑）。

佐藤　菅さんが国民に語りかけた言葉が「薄い」とさんざん叩かれましたが、でもね、金日成著作集や金正日著作集、あるいはブレジネフ選集なんかを読みますと、菅さんの発言に似ているようなものはたくさん出てきます。

池上　それも、ひどい（笑）。

佐藤　確立した独裁国の指導者の演説や書物と、菅さんの発言は非常に似た感じがするので、日本もシステムが確立しているということなんじゃないでしょうか。菅さんの発言はすべて典型的な官僚発言ですよね。逆に言えば、言葉によって国民を操らなくても済んでいる。だから、日本のシステムも安泰だなと思うわけです。

池上　たしかに新型コロナウイルスでみんなが不安になっていたわけですけど、どのように国民に訴えかけるか腐心《ふしん》することが全然なかったわけです。言葉で人を説得するとか、国民を鼓舞するとか、そういう発想はまったくなかった。

佐藤　その結果、何の期待も国民に抱かせなかった。ワクチン接種の遅れをめぐって暴動が起きるわけでもない。期待がなければ、失望も反発も少ないという、見事なシステムを作り上げたと言うこともできるわけです。

池上　例えば、緊急事態宣言やまん延防止等重点措置をやるときでも、「発出した緊急事態宣言を仮に延長する場合、どの程度の延長を想定しているのか」って記者が聞いたら、「仮定のことについては私からは答えは控えさせていただきたい」と言いましたよね。

佐藤　そういうのは霞が関の課長答弁ですね。

池上　安倍内閣の官房長官時代に身につけたはぐらかし答弁です。しかし、一国の総理の答えとしてはあり得ないですよ。当たり前ですが、政治家のリーダーとしては、仮定のことやあらゆることを想定するわけでしょ。その場で答えられないことについては、それなりの言い方をすべきですよ。じゃあ、仮定はしていないのかと思われてしまう。

佐藤　しかし、『君主論』を挙げたことの効用というものはあって、そのお陰で、霞が関の役人たちも永田町の政治家も菅総理のことを怖いと思うわけじゃないですか。だって、『君主論』を挙げるということは、色紙に座右の銘をくださいと言われて、「何でもあり」と書くのと同じようなものですよ。

池上　そのインパクトは相当に大きいと思いますよ。

佐藤　だから、その書名を挙げることによって、かなり目的を達成することはできましたよね。

■マキアヴェリズムを駆使する政治家

佐藤　ところで池上さん、マキアヴェリという人物をどういう風に評価していますか。

池上　『君主論』（中公文庫）も『わが友マキアヴェッリ』（塩野七生著、新潮文庫）も、佐藤さんが解説を書いているじゃないですか。

佐藤　はい。

池上　マキアヴェリは冤罪で逮捕されてしまった外交官で、一カ月半の獄中生活を送った。自らの境遇に怒り、再度、政治に積極的に関与することを本気で考えて『君主論』を書いた。佐藤さんも冤罪で逮捕されて獄中生活を送ったあとで、『国家の罠　外務省のラスプーチンと呼ばれて』（新潮文庫）を書いた。佐藤さんは、全然怒っていないとか、政治に関与しないなどと言いながら、実はそうではない。

佐藤　いや、いや、全然怒っていません。

池上　すると、改めて『君主論』を読むと、ああ、マキアヴェリの現代版は佐藤さんじゃないかと思うんですね。

佐藤　まあ、そういう見方もできるかもしれません。

池上　それで佐藤さんは解説で、「『君主論』で展開されているノウハウは、二十一世紀のマネージメントでも十分通用する内容のものが多い」と書いていますね。

佐藤　たしかに役には立ちますね。と同時に、『論語』と『君主論』は注意すべき本だとも思っているんです。というのは、両方ともうまくいかなかった人の本ですよね。

孔子は魯の大司寇《だいしこう》（司法大臣）に一年だけなるんですが、失脚して国を出て、以後一四年間も諸国を流浪しながら猟官《りょうかん》運動をずっと続けるんですが仕官できなかった。失敗した人のマニュアル本なんです。だから、『論語』と『君主論』とではうまくいかないんじゃないかとも思うんです。逆に、うまくいかなかったからこそ人を惹きつける魅力があるのかもしれませんが。

池上　たしかに、どちらも成功者の本ではありません。

佐藤　それで、菅さんがマキアヴェリを読んでいるかどうかは別にして、マキアヴェリズムを駆使する政治家だったことは間違いないですね。第23章の「へつらう者をどのように避けるか」のところにあるのは、任せられる人間には任せて、やらせてしまう。ただし、その判断は自分でやるということです。菅さんは外交に関しては完全にそのようにしていました。

しかし、翻《ひるがえ》って考えると、なぜ菅さんは安倍さんほど人の憎しみを買わなかったのですかね。安倍さんよりもえげつないことをやっていたと思うんですけど。日本学術会議の人事や長男が総務省幹部を接待していた問題にしても、安倍さんのときより桁違いに大きい感じがするんですが。

池上　やっぱり、非常に苦労して這い上がってきたというイメージを、最初に与えたことが大きいんじゃないでしょうか。それは、お坊ちゃんで親や祖父に恵まれて総理大臣になった人と、自力で市議会議員から這い上がった人の違いですね。安倍さんには例えば憎しみを感じても、菅さんには憐れみを感じてしまう。あのコミュニケーション能力のなさとかを見ても、かわいそうに思っちゃう。

佐藤　そうすると、国会で、「パソコンを使ったことがない」と白状したり、「復興以上に大事なのが○○議員だ」と発言して辞任した櫻田（義孝）元五輪相に近い感じですか？

池上　あ、たしかに、そんな感じです。それから例えば『君主論』の面白い箇所ですが、第22章の「君主が側近にえらぶ秘書官」のところで、「君主は、秘書官に忠誠心をもたせるために、名誉を与え、暮らしを豊かにし、恩義をかけ、栄誉と責務とを分かちあって、彼の身の上のことを考えてやらなければいけない」と。これは安倍元総理のことを言っていますね。

自分のために国会答弁でウソを言ったりして、庇《かば》ってくれたら、そのあとはずうっと面倒を見ますよということでしょ。

佐藤　〝面倒見〟というやつですね。ただし、それが長期で施されるとは限らない。第四次安倍第二次改造内閣で法務大臣だった河井克行さんも面倒見の話ではあったと思うんですけど、結局は一審で懲役三年の実刑判決を食らいましたから。

池上　問題はどこまで面倒を見続けてくれるかです。菅さんだけでなく、安倍さんも、本人がどれだけ自覚しているかどうか分かりませんけど、マキアヴェリの教えを実践していますね。

■『君主論』は権力者たちの無意識を言語化したもの

佐藤　面倒見に関連して思い出すのは、二〇〇二年にアフガニスタン復興支援国際会議へのNGO出席問題をめぐって、田中眞紀子外務大臣と喧嘩両成敗の形で、鈴木宗男さんが衆議院議院運営委員長を辞任しましたよね。ちょうどそのとき私はモスクワにいて、電話で大丈夫ですかと聞いたんです。そしたら、「大丈夫だ。担保は取ってある」と。小泉総理からも直接、電話がきて、「鈴木君、ありがとう。この借りはかならず返す」と言ったというんです。

池上　ほほう。

佐藤　で、その三年後、私の第一審判決の日に鈴木さんと晩飯を食べたんです。そのとき鈴木さんが言ったのは、「佐藤さん、甘かったべな」と。「小泉が借りは返すと言ったのは、検察を送り込んでくることだったとは思わなかった。俺はてっきり入閣のことだと思ったんだけど、世の中、厳しいよな。だから、政治家の世界での約束ごとというのは、こういうものだ。俺はホントにそれを忘れていた。政治家をスタートした時点ではそれを知っていたはずなんだけれども、小泉が世の中の厳しさを思い出させてくれた」。

池上　いい話ですね。

佐藤　政治家という人たちのことを見ていると、やっぱり面白いんですよ。自分自身を笑い物にして、決して恨み節じゃないんです。ユーモアなんですね。私は非常に勉強になりました。

池上　今、佐藤さんが話したことは、『君主論』の第18章「君主たるもの、どう信義を守るべきか」に書いてあります。「名君は、信義を守るのが自分に不利をまねくとき、あるいは約束したときの動機が、すでになくなったときは、信義を守れるものではないし、守るべきものでもない」。

佐藤　名君かどうかは別にして、小泉氏がやったことは正しく教科書通りなわけですね。

池上　はい、約束の不履行について、もっともらしく言いつくろう口実など、その気になればいくらでも探せるってことです。深いですね。さらにその先ですが、「国を維持するためには、信義に反したり、慈悲にそむいたり、人間味を失ったり、宗教にそむく行為をも、たびたびやらねばならないことを、あなたは知っておいてほしい」。

佐藤　非常に含蓄がありますね。

　だけど考えてみると、権力者は『君主論』のマニュアルに従っているわけではない。むしろその逆で、マキアヴェリがやったことは、独裁者や権力者が、それまで自分の都合のいいように無意識のうちにずっとやってきたことを帰納法でもって言語化したとも読めるんじゃないでしょうか。

池上　ああ、たしかに。安倍さんも菅さんも、『君主論』を読んでいるかどうかにかかわらず、似てしまうわけだから。

佐藤　組織のトップである社長たちだって似ているでしょう。

池上　マキアヴェリの偉大なところはそこです。彼らの無意識を帰納法的にきちんと言語化し、検証できるようにした。権力者というものを知るためにも、『君主論』を読むべきですね。

佐藤　そして、『君主論』は読むべきものというだけじゃなくて、実践すべきものだと、こういうのが政治家の意識でしょう。

池上　それからもう一点、「（思慮深い）君主は、国内から幾人かの賢人を選びだして、彼らにだけあなたに自由に真実を話すことを許す。しかも君主の下問の事がらに限って、ほかの論議を認めないことにする」という箇所がありますね。

佐藤　さきほども触れた第23章の「へつらう者をどのように避けるか」に出てきますが、これはいちばん有名な章です。君主にとって危険なのは追従者であると。

池上　で、この引用した部分ですが、菅政権下でのコロナをめぐる専門家分科会そのものですよ。聞いたことだけに答えていればいい、ほかのことは言うな、と。

佐藤　この章では、聞いたことに反応を示さず、自分で判断しろ。間違えたと思っても変えるなということまで書いてあります。

池上　その意味では新型コロナウイルス対策で、菅さんはちゃんとマキアヴェリの『君主論』通りのことを、知ってか知らずか実践していますよ。

佐藤　怖いのはそれで機能してしまっていることです。

池上　マキアヴェリの理論がそのまま通用する社会であることが一番問題です。

佐藤　ロシアと較べてもデモが起きない。プーチン政権も羨むぐらいの見事な統治。そして情報の均一性が担保されています。

池上　たしかに。だからこそ、私たちはマキアヴェリを読んで、政治を見る力、権力者を見る力をつけましょうと、こういう結論ですね。佐藤さんは『君主論』の解説の最後をこう結んでいます。「日本の指導者によって『君主論』でマキアヴェリが説いたノウハウが悪用されないように監視することが重要と考えている」——その通りですね。

■小泉純一郎の恐るべき浅さ

佐藤　続けてほかの政治家を見ていきます。それを論じるには格好の本として、出版されたのが二〇〇二年とちょっと古いのですが、早野透氏の『政治家の本棚』（朝日新聞社）というのがあります。池上さん、通読されてみていかがでしたか。

池上　いやあ、驚くべき書物でした。日本の政治家はこれほどまでに教養がないことを知って驚愕しましたよ。

佐藤　一読してホントにシビレましたね。教養の幅の狭い人物が次から次へと出てきてビックリです。やっぱり、われわれは凄い国に生きているのだなと改めて思いましたね。

池上　例えばアメリカのオバマ元大統領が薦める本は、ガルシア＝マルケス（ガブリエル・ガルシア＝マルケス、コロンビアの小説家・ノーベル文学賞受賞者、一九二八～二〇一四年）の『百年の孤独』とか、ネルソン・マンデラ（南アフリカ共和国の政治家・ノーベル平和賞受賞者、一九一八～二〇一三年）の『自由への長い道』だったりするわけでしょう。ちゃんとした読書人という感じがしますよね。

佐藤　どこから行きますか？　いちばん凄いところから行きますか。

池上　じゃあ、元総理大臣の小泉純一郎氏から（笑）。

　最初に挙げているのが『あゝ同期の桜　かえらざる青春の手記』（毎日新聞社）で、その本について、「鮮烈な感動を覚えました」と話しています。それから、司馬遼太郎の『坂の上の雲』『国盗り物語』、井上靖の『風林火山』『射程』『氷壁』、城山三郎の『男子の本懐』『落日燃ゆ』……。大学時代は時代小説を読みあさったと言っていますね。学術書の類はただの一冊も出てこなくて、読書がこうした娯楽体験で終始しているのが特徴です。

佐藤　『男子の本懐』で描かれたのは金本位制を遂行した浜口雄《お》幸《さち》首相と井上準之助大蔵大臣ですが、自分の祖父である小泉又次郎が逓信《ていしん》大臣として本に出てくるという話をはじめるんです。その祖父は「全身いれずみでした」「見事な竜と……。いれずみした大臣は、最初で最後でしょう」「政界を締めるためにいれずみをしたという話もありますけれどもね」と。本当に嬉しそうに話していますよね。

池上　大事なところはそこなのかと思ってしまいますね。インタビュアーである朝日新聞政治部記者の早野氏がどの本や映画について聞いても、小泉氏からは浅い感想しか返ってこないんですね。「感動して泣いた」「鮮烈な感動を覚えました」「良かった」「好きだ」、こんな感じでまったく話が深まっていきません。

佐藤　インタビュアーがどこにどう感動したのかと掘り下げた質問をするべきなのに、それをしないので、よくわからないんですね。聞いても一向に深まっていかないから、聞くのをやめた可能性もありますが。

池上　小泉氏はどこにどう感動したのかということを、言葉で表現することができないのかもしれません。

そう言えば、彼が総理大臣を辞めた後に、『音楽遍歴』（日経プレミアシリーズ）という本を出したんです。オペラなど音楽の話をいっぱいしているんですが、全部、感動した、良かった、あれはいいと、感想はそれだけです。それ以外の語彙《ごい》がないんですね。

佐藤　この人の感動というものは、非常に浅いところにしかないのかもしれません。三〇センチプールみたいな人で、飛び込みとか到底無理なプールなんです。

池上　彼は現役時代に取材に答えるときに、本当に短いキャッチーな言葉で話しましたけれども、このインタビューを読んでも短い言葉しか喋れなかったんだなということがよくわかります。大相撲で貴乃花が優勝したときに土俵上で言った、「痛みに耐えて、よく頑張った。感動した！」を思い出しますが、あの通りなんですね。

佐藤　早野氏が郵貯問題のことに触れたときの答えも凄いですよ。「いやなことがあると、じゃ、あす特攻隊で飛び立つのとどっちがいいかと較べてみるんです。少々のことでへこたれちゃいかんと」。そんなことと較べたら、答えは決まっているじゃないですか。特攻隊で飛び立つよりマシと思ったら何でもできますって、これが大人の話として通用するでしょうかね？

池上　別の箇所でも、「戦争するぐらいなら、どんな我慢もできるんじゃないか」と話しているので、大体、極端なことと比較するという思考の回路になっているようです。

佐藤　戦争の話をたくさんしていますよね。『あゝ同期の桜』を読んだ感想は、「これを読んでから、愚痴をこぼしたり、不平を言うのが恥ずかしくなったね」で、『坂の上の雲』の感想が、「日露戦争は、奇蹟ですよ。東郷平八郎元帥がバルチック艦隊を撃滅した」です。

池上　じつにストレートですな。

佐藤　何についても非常に表層的な理解で終わっているんです。複雑系とは逆の単純系の思考の持ち主とでも言うんでしょうか。でも、だからこそ小泉改革ってできたのだし、これだけ国民に災厄をもたらすような転換ができたんだな、と思いました。

池上　戦争にくらべたらマシだという意識で政治を行われたらたまりません。小泉改革の乱暴さの本質がうかがえましたよ。

■田中眞紀子の演劇性

池上　小泉氏関連で言うと、彼の内閣で外務大臣をやっていた田中眞紀子さんはどうでしたか。

佐藤　彼女についてはあまり悪い感想は持ちませんでした。子どものころはチャンバラごっこばかりやっていて、高校時代はアメリカにホームステイして楽しかったという話です。ただし、自分の文学的リテラシーについては素直に吐露《とろ》していますね。

池上　目白の田中邸に住み込みの書生さんたちがいた話ですね。

佐藤　「書生部屋へ遊びに行くと、『アンナ・カレーニナ』とか『戦争と平和』『カラマーゾフの兄弟』など重厚長大な本がありました。借りたって私には読み切れない。第一、名前が難しくてこんがらがってしまいます」

　ということは、今もってそういう本を読んだことがないわけですから、なかなか凄い話です。

池上　トルストイとドストエフスキーをいっしょくたにしていますよね。

佐藤　日本の読書家と言われる人たちが、よくトルストイとドストエフスキーの両方に感動したと言いますが、ロシアのインテリたちにしてみれば、そもそもその二人が並列で論じられることはあり得ないことです。二人の作家の持ち味はまったく異なっていて、むしろ相容れないものです。結局、田中さんはどちらも読んでいないわけですけど。

池上　われわれが持っている感性からすれば、ほんとは難しくて読めなかったとしても、こういう言い方はしません。「時間がなくて読めませんでした」とか言うものなんです。ところが、「名前が難しくてこんがらがってしまいます」というのは、何が悪いのって居直っているように感じられるんですが。

佐藤　だから、モノを知らなくて何が悪いんだと言っているわけです。

年代は違いますが、ポストモダンの前からポストモダン的ですね。ルイ・ヴィトンのバッグと岩波新書は等価であると田中康夫さんが喝破《かっぱ》する前から、田中眞紀子さんはそれを実践で捕まえているわけです。偉大な人だなと思いました（笑）。

池上　たしかに。

佐藤　彼女の性質を知るうえで興味深いくだりもあります。

「遠藤周作さんと父と私の親子対談があって、遠藤さんが『お嬢さんはプロにしたらいいよ』と言ったんです。父が大あわてで『君、これ一人しかいないんだから余計なことを言わんでくれ』と答えたのに、『いや、この子はおもしろい。芥川比呂志に言っておくよ』」

池上　それで大学を卒業して劇団「雲」の研究生になった。そもそも彼女は大学在学中ずっと、演劇に打ち込んでいたわけです。

佐藤　だから彼女はもともと演技性パーソナリティなんですね。

池上　演技性パーソナリティというのは、他者から注目を集めようとして、演劇的な行動を示す傾向の人のことですね。

佐藤　彼女はその性質のままで、政治家もずっとやっていた。それが当時のパフォーマンスを重視する世の中に合っていたのでしょうが、しかし、世の中が冷静になったら、相手にされなくなったということでしょう。彼女の原点が分かるという意味では面白いインタビューです。

それから、これは枝野幸男氏とも共通しているんですが、基本は頭が新聞でできているという箇所も面白いです。

池上　「私が三児の子育てで多忙な時も、父は新聞だけは必ず読むように申しておりました。それも一面から全部読みなさい、新聞は知識の集積だ」と、父の角栄に言われた話をしているところですね。

佐藤　そうです。これも角栄の教えですが、「人間は論文も書けなくてはならないが、はがきでさっとわかりやすく書けることも大切だというのです」。

池上　はがきの大きさに収まるという部分がポイントです。

佐藤　ええ、今のツイッターに限りなく近いのだと思います。

池上　なんかポーンと印象に残るようなひと言を言うところは、小泉純一郎氏と似ていますね。「人間には、敵か、家族か、使用人の三種類しかいない」とか。彼女はあだ名をつけるのが上手でした。

佐藤　自民党総裁選に出馬した小渕恵三、梶山静六、小泉純一郎の三人を評して、「凡人・軍人・変人」と言ったとかですね。

池上　コンパクトな言葉で人々を操っていくというか、物事を深く考えさせないのが上手ですよね。そういう形で人気が出たところも、田中氏と小泉氏は似ています。まあ、でも、ルース・ベネディクトの『菊と刀』や岡倉天心の『茶の本』、ハイネやリルケなどを挙げていますから、小泉氏よりは本を読んでいるんじゃないですか。

■枝野幸男の恐るべき空虚

池上　名前が出たので、立憲民主党前代表の枝野幸男さんはいかがでしょうか。

佐藤　実は僕がいちばん〝感銘〟を受けたというか、いちばん凄いなと思ったのは小泉さんではなくて枝野さんなんです。これほど空虚な人も珍しいという意味ですけど。

池上　実は、私もそう思いました。

佐藤　小児喘息で運動神経が悪かったので、読書に走った。伝記物を乱読して、豊臣秀吉、徳川家康、キュリー夫人ときて、小学校三、四年生から新聞を熱心に読むようになった、と。それはよくある、ありきたりな話ですよね。

池上　学級新聞にはクラスの話じゃなくて、社会や政治の記事を載せていたと。

佐藤　「アンチ金権ですよ。三木武夫頑張れって、子供ながらに」と話していますけど、子どもであることを差し引いても、要するに新聞の主張の引き写しで、実につまらない。現在の彼の与党批判もこれと似たようなもので、三つ子の魂百までという感じがしますね。

池上　中学・高校はコーラスに熱中して、高校では校内弁論大会に出ていたと。

佐藤　「学生運動の名残もないですし」と言っていますが、私は彼とほぼ同年代ですからわかるのですが、枝野さんが学んだ東北大学では中核派も民青（日本民主青年同盟）も元気でしたよ。そういう怖いところには近寄らなかっただけの話ですよね。

「左というのはちょっと変わった人ということだったかな、申しわけないですけど。右左の意識より、田中角栄に対する三木武夫という感覚ですね」

と。高校生になっても、凡庸な意識のあり様はほとんど変わりません。

池上　それから、司馬遼太郎の『坂の上の雲』『花神』から海音寺潮五郎の『海と風と虹と』、渡辺淳一に進んだ。学術書の類は一冊も出てきません。

佐藤　そこが問題なんです。

「私だけなのか、私らの世代なのか、仙谷由人さんから指摘されるんですけど、僕らは理念的哲学的な古典はやっていないんですよ。幅と底の薄さを時々自覚しますよ。マルクスも読んでないですしね」

と言っています。普通の意欲があればの話ですが、自分の幅と底が薄いと思ったら、それをどうやって埋めるかを考えるんじゃないんですか。大体、理念的哲学的な古典をやっていないのも、マルクスを読んでいないのも、世代じゃなくてこの人の問題でしょう。一般的な世代の話ではなくて、きわめて属人的な話です。

池上　次の部分もなかなか意表を突かれました。

「少し重みをつけなきゃいけないから言うなと言われるんですけど、歌手とかアナウンサーとかになりたかったことがあったんですよ。でも、音楽の基礎素養がない、流行歌手にはルックスが足りない、早稲田に落っこちたのでアナウンサーもだめ、そういう挫折もあったんですよ」

それはもちろん個人的自由の領域の話ですが、流行歌手になりたかったんだと知って、驚きました。

佐藤　それで、大学では、酒飲んでカラオケ歌って、マージャンやっていたわけです。「親が金持ちでも政治家でもない中で政治家になろうと思ったら、オーソドックスに言えば、やり方は三つ。官僚になるか、弁護士になるか、マスコミかだと思うんですよ」

こういう志の低さで政治家になって、やがては野党の党首にまでなれるわけですから、暗澹《あんたん》たる気持ちになりました。日本の政治というのは、つくづく底がなくなっているんですね。

池上　そういう意味では、これは恐るべきインタビューですな。

■左派陣営の人たち

佐藤　枝野氏にはポストモダンの影響も見られません。ここが福島瑞穂氏との大きな違いですね。本書によると、彼女は浅田彰の『逃走論』を読んで、そこで我が意を得ているんです。すたこら逃げ出さないといけないわけです。そこがいちばん面白かった。

池上　「逃げろや逃げろでしょう、有名な。あれはよくわかりますよ。そんなに頑張りたくない。視野狭窄《きょうさく》になることは避けたい。逃げろや逃げろなんですよ。やっぱり浅間山荘に行っちゃいけないの」

と話していますね。それで東大一年生のときに、構内で革マルの男子学生が殺されるのを目撃したと。

佐藤　それが彼女の中でどういう思想を形成するかというと、基準は全部自分で決めると。例えば、事実婚を選択して戸籍制度に囚われないとかいうのは、ポストモダン的なこだわりなんですね。しかし、彼女にもマルクス主義の匂いは微塵《みじん》もありません。

池上　社民党に入ったのに、マルクスのマの字も出てこないところは実に不思議です。

佐藤　そういう意味では、日本共産党委員長の志位和夫氏の話は面白かったですよ。ただ、インタビュアーが弱いんです。志位氏が「いとこから望遠鏡をもらったんですね」と話しているのですが、ジャーナリストならば、そこですかさず「それはラストヴォロフ事件のときの志位正二《まさつぐ》さんの子どもですか」とか聞かないとダメですよね。

池上　ああ、ラストヴォロフは日本に送り込まれたソ連のスパイですが、そのエージェントの一人が志位正二でした。志位正二は志位和夫氏の伯父で、シベリアに抑留された元関東軍の将校です。

佐藤　志位なんて珍しい名前なわけですから、それは知っていてほしいし、そこを掘ってほしかったですね。

ともあれ、志位和夫氏は基本的に読書家です。父の影響で高校時代にマルクス、エンゲルスに接した。宮本顕治（元日本共産党委員長・同議長、一九〇八～二〇〇七年）への配慮を口にしているところも面白い。大学に入ってから宮本の『「敗北」の文学』を読むんですが、「ああ、二十歳でこんなものを書いたのかと思って、びっくりしました。納得がいきましてね」と。ミヤケンに対する敬意をちゃんと文字で残しています。

池上　日本共産党員としては、正統的ですね。

佐藤　それで、大学では、

「革マルがいました。あとブント系がいましたね。革マルは内ゲバ路線にのめり込んでいっちゃって、非常に殺伐とした感じになっちゃって孤立していましたね。民主的な学生運動は発展途上にあって、行動的でした」

とありますが、行動的ってどういうことですかね。

池上　ゲバをやっていたということでしょうね。

佐藤　だから、意外と正直なんです。それから、大学に入ると父が『マルクス・エンゲルス全集』と『レーニン全集』を買ってくれて、『資本論』は苦労して読んだと。非常に由緒正しい家業としての共産党員をやっている。

池上　そのへんも実に正直です。あとは趣味のピアノ演奏にどれだけ打ち込んできたかという話です。

佐藤　こういうくだりを読むと、枝野氏が負けるのは当たり前ですね。人間の器が違うし、言っていいことといけないことの仕分けがきちんとしている。政治家として訓練の度合いがまるで違う感じがします。

池上　同じ文脈で言いますと、日本共産党の不破哲三（前日本共産党議長）氏も、自宅の本棚には宮本百合子（作家、宮本顕治夫人）の全集があるわけです。ミヤケンにゴマをするには奥さんも押さえなくてはならないのかという感じがしますね。

「非常に感心するのは、百合子の目の冴えですよ。占領軍問題まで的確に提起している。あれだけ冴えた目を、彼女はどこで培ったんだろうというのが、僕の主題だったんですよ」

といった具合です。百合子と宮本顕治の獄中書簡集についても言及していますしね。

佐藤　そういうことに触れなきゃいけないという暗黙の「掟」がきちんとあるんでしょう。私が面白かったのは、不破氏が雑誌『前衛』に「五一年綱領」について論文を寄稿したら、党の上の方が怒っちゃったところです。

池上　ついでに言っておくと、このとき使ったペンネームが不破哲三で、本名は上田建二郎。党の重鎮だった上田耕一郎は彼の実兄です。

佐藤　この論文を掲載したことで、『前衛』が自己批判させられたと。そこで、「軍事方針の時代ですからね」と言うんですね。そういう時代があったことを認めちゃっているわけです。

池上　ちょっと解説しておきますと、「五一年綱領」というのは一九五一年の日本共産党第五回全国協議会（五全協）で採択された、軍事革命路線のことです。実際に、共産党員による火炎瓶での警察襲撃事件が相次ぎました。

佐藤　さらに時代をさかのぼれば、戦前の武装共産党時代には警察官を武器で襲ったし、美人局《つつもたせ》もやるし、銀行を襲撃して金を強奪したりしました。

池上　それで、この綱領は一九五八年七月の第七回党大会で廃止されるんです。一九九三年になると、「五一年綱領」を「五一年文書」と呼び換え、過去の暴力的破壊活動は分裂した一方が行ったことだということにしてしまいます。

佐藤　日本共産党の歴史は、除名と追放と、責任転嫁の歴史ですから。

池上　二〇二一年九月にＴＢＳの「ひるおび！」で八代英輝弁護士が、「共産党は『暴力的な革命』というのを、党の綱領として廃止していません」と発言したところ炎上して、共産党も猛然と抗議しました。もはや何のことかわからない人が大半だったと思いますが、こうした事情が背景にはあるわけです。

佐藤　話を戻しますと、聞き手の早野氏は、「自己批判」や「軍事方針」という言葉が出てきたら、もう少し掘り下げてほしかったですね。

池上　そういう知識がないのかなあ。まあでも、志位さんも不破さんも、それなりにちゃんと本を読んでいますね。

　あと私が驚いたのは元社民党党首の土井たか子（一九二八～二〇一四年）氏です。何というか、頭の中がお花畑な感じですよね。

佐藤　京都女子高等専門学校（現・京都女子大学）時代に読んだのが、石坂洋次郎の『何処《いずこ》へ』とか『青い山脈』なわけですから。

池上　それでそもそも弁護士を志したのは、『ベニスの商人』に出てくる裁判官に扮したポーシアに憧れたせいだと。

佐藤　「シャイロックにはもう腹が立って、何これ、と思いながら読むわけだから」といった具合に、読み方がなんともベタなんです。文芸批評家には絶対に向いていない読み方ですよ。そして、映画『若き日のリンカーン』をみて、弁護士になることを決意するわけです。なんか、とてもわかりやすい人ですよ。

■中曾根康弘と細川護煕は教養陣営？

佐藤　ここまで出てきた政治家からすると、中曾根康弘氏は教養人っぽく見せることが巧みです。自分に教養が足りないことを知っているから、読売新聞の渡邉恒雄氏という教養人を家庭教師役として捕まえたんですね。

池上　彼は新聞記者としては、活字中毒と言っていいぐらいの読書人ですよ。

佐藤　勉強会という形でレクチャーさせて、中曾根氏は相当なところを渡邉氏から得たのでしょう。そのあとは佐藤誠三郎さんや西部邁《すすむ》さんからの耳学問でしょうか。読書というよりも、耳学問のやり方をよく知っている人という側面が浮き出てきます。

　ただし、パスカルの『パンセ』や『論語』を愛読書で出してくる人間には警戒したほうがいいと私は思っているんです。

池上　サミットのときに、中曾根氏がフランスのミッテラン大統領（フランソワ・ミッテラン、一九一六～一九九六年）に『パンセ』をフランス語で披露したという話が出てきますね。

佐藤　『パンセ』も『論語』も断片集ですから通読する必要がない。だから、部分だけであっても、それを読んだという話をいくらでもすることができます。その辺は逆に言うと、うまいですよね。やっぱり頭はいいですよ。

池上　『パンセ』も『論語』もつまみ食いの定番です。

佐藤　政治の極意は、ある意味でつまみ食いですから。「中曾根康弘から学ぶつまみ食い力」、そういうのは重要ですよ（笑）。

池上　自分を教養人に見せるノウハウですね。ちなみに、中曾根氏が挙げている人名や書名は、独歩、漱石、花袋にはじまり、河合栄治郎、カント、ヘーゲル、水原秋櫻子《しゅうおうし》、中村草田《くさた》男《お》、道元の『正法眼蔵《しょうぼうげんぞう》』、毛沢東の『遊撃戦術』、勝海舟の『氷川清話』……。やっぱり渡邉氏がある種、家庭教師になったことによって、かなり効率的にいろんなことを学んだんでしょうね。

　ちょっと余談になりますが、渡邉氏は読売の新聞記者としては非常に珍しいタイプです。私が知っている限り、読売新聞の記者に読書家はいませんでした。東京へ来て、学芸部には本を読んでいる記者がいることを知りましたけど。

佐藤　その辺は私と印象が違いますね。読売新聞の副主筆だった浅海保さんとか、現副社長の村岡彰敏さんとかはほんとにたくさん本を読んでいました。

池上　そのお二人は政治部出身でしょ。私が付き合っていたのは社会部の記者たちですから。

佐藤　政治部と社会部は根本的に違う。社会部は検察や警察から聞いた話についてはウラを取らない。政治部はどんなに親しい政治家が言った話でもウラを取る。政治家はウソをつくことを前提にしてやっていますから。政治部はバカのように見られているんですが、実は政治部の方が疑り深いというのが私の皮膚感覚です。

池上　たしかに社会部は誤報を出しても、検察や警察が言ったことを、ある種、エクスキューズにするようなところはありますね。

佐藤　だから、公権力との距離は、社会部のほうが近い感じがします。

池上　たしかにそういう部分はあります。社会部は反権力と思われていますが、検察担当の記者は検察とベッタリで、私もＮＨＫ社会部にいて警視庁の捜査一課担当だったときは、今から思えば、捜査一課とベッタリでしたからね。

佐藤　話を戻しますが、渡邉恒雄氏からの流れでいきますと、旧日本新党代表の細川護熙氏も大変な教養人であることは間違いないです。

池上　『論語』の素読に『西郷遺訓』はまだいいとして、『古今伝授』、張養浩《ちょうようこう》の『為政《いせい》三部書』、『呻吟語《しんぎんご》』、狩野《かの》直喜《なおき》の『御進講録』など、普通の人が絶対に読まないような古典を次々と挙げています。教養人なんだけれども、古き良き日本の教養人という感じです。だけど、浮世離れしているというか、国際性もぜんぜん感じられないですね。

佐藤　全部が他人事のような語り口です。「公家は逃げ足が速い」と言いますが、そんなイメージ通りです。

池上　まあ、それが武家時代からの細川家の血筋ですから。

佐藤　面白かったのは、大川周明（大正・昭和期の国家主義者、一八八六～一九五七年）の『日本精神研究』についての部分です。細川氏は「嫌いな人も結構いるかもしれないけれど、ほんとうに読み古しています」と話しています。この書が内村鑑三（明治・大正期のキリスト教の伝道者、一八六一～一九三〇年）の『代表的日本人』と内容はほとんど変わらないと言うわけです。細川氏は両方をちゃんと読み込んでいるんですから、大した読書人ですよ。

池上　そうですね。だけど、何だろう、何か腑に落ちない感じが拭えないというか……。

佐藤　それは毒にも薬にもならないような感じだからでしょう。「ヨハネの黙示録」に「あなたは、冷たくもなく熱くもない。むしろ、冷たいか熱いかであってほしい。熱くも冷たくもなく、生温いので、私はあなたを口から吐き出そう」という一節がありますが、そんな感じです。不思議な人ですよ。

池上　自分の中だけで完結しているような人ですね。

■菅直人と「最小不幸社会」

池上　自分の中だけで完結していると言えば、立憲民主党の菅直人《かんなおと》氏もそうかもしれません。この人は影響を受けた本として、オルダス・ハクスリー（イギリスの著作家、一八九四～一九六三年）の未来小説『すばらしい新世界』を挙げています。

佐藤　ハクスリーは三〇代の後半に発表した『すばらしい新世界』でディストピアを描きますが、彼の後半生というのは、ハシッシュとか麻薬を解禁したら、みんなが楽園に住めるというような思想家になるんです。

池上　自らが幻覚剤の実験などをして、その経験を書いた『知覚の扉』の世界ですね。

佐藤　そういう意味では、別の次元で「すばらしい新世界」を実現したわけです（笑）。

池上　菅氏は以前から「最小不幸社会」という言葉を使っていますね。

「政治はあまりにも幸福というものをつくろうとして、過剰にコミットすべきじゃない。例えば、人間の恋愛感情とかに介入すべきじゃないでしょう。政治という強制権力は、不幸になる要素を最小化するのが目的じゃないか」

と説明しています。

佐藤　やっぱり改めて、菅氏はシュリンクした時代を捉えた政治家だったんですね。「最小不幸社会」は、幸福を目指すんじゃなくて不幸を前提として、不幸のミニマム化を狙っていくということです。国民は絶対に幸せにはなりません、不幸の極小化しかできませんと。内閣総理大臣でそれを提示したのは、憲政史上初めてのことだったんじゃないですか。

池上　その考え方は、思想家としてならわかるんです。しかし、国のトップとして国民に呼びかけるときに、こんなマイナスの言葉を二つ並べてしまうというのは、まったくもってダメでしょう。

佐藤　こうも話しています。

「人間というのは、やっぱり矛盾の固まりなわけですよね。社会も矛盾の固まりで、だから、私にとっては……」「矛盾を克服するというマルクス主義は、やっぱりユートピア論であって、そんなのはありっこない」

本質が反共だという点が、面白いところではあります。

池上 菅直人氏が東工大で学生運動をやっていたとか、左翼だと言っている自民党の人間がいるんですが、それは勘違いです。東工大で全学闘争委員会がバリケードストライキに入って、それが無期限で続いていた。このままじゃ卒業できなくなると危機意識を持った菅直人氏たちが、学生運動に反対するスト破りの団体をつくって、ストライキをやめさせたんです。

佐藤 菅氏の奥様の伸子さんが書いた『あなたが総理になって、いったい日本の何が変わるの』（幻冬舎新書）という本がありますが、これ、面白いですよ。

池上 へえー。たしか、二人はいとこ同士でしたよね。

佐藤 そうです。伸子さんの母親が直人氏との結婚に反対したので、母を説得する材料として男の点数表を作ったというんです。

「容姿とか、学歴とか、職業とか、将来性とかを点数にして、それで、合計点で菅直人よりもいい男がいたら、しょうがない、その人と結婚するしかないかなあ、と」

それで、菅氏がいちばん点数が高かったから結婚したというんです。この何とも言えない機械論的なものの考え方からすると、まさに一卵性双生児みたいな夫婦ですよね。

池上　愛情とかいうものは加味せずに、そういった要素を点数化して合理的に考える、こういう人種が世の中にはいるんですね。それは理系の極端な考え方をする人たちにありがちな傾向かもしれません。

■レーニン型とヒトラー型

池上　「政治家の本棚」のお題で、海外の政治家や過去の政治家ですと、誰かいますか。

佐藤　例えばレーニンですね。彼の場合はいつも逃げていたので、ヘーゲル（ゲオルク・ヴィルヘルム・フリードリヒ・ヘーゲル、ドイツの哲学者、一七七〇〜一八三一年）の『大論理学』でも何でも、読んだものは短いノートにまとめてコメントを付けて、いつでも持ち歩けるようにしていました。引用したり要約したりした上で、その脇に「繊細で深い！」とか「非常にいい！」とかコメントを付しています。

池上　流刑に亡命にと忙しかったからですね。

佐藤　ええ。彼のノートの取り方について、大きなものをどのように圧縮しているかを見ると、『国家論ノート』や『哲学ノート』は今でも非常に参考になります。このノートをベースにして『唯物論と経験批判論』なんかを書けるわけですから。

ノートを取らないで線を引いて書き込んでいろいろ考えるのはヒトラーです。彼の蔵書は一万六〇〇〇冊余りと言われていますが、ときどき机上の本を並べ替えて、自分の頭の中を整理するんです。

池上　ティモシー・ライバックの『ヒトラーの秘密図書館』（文春文庫）に書いてあることですね。

佐藤　ええ。例えば、反ユダヤ思想に出会ったディートリヒ・エッカートの『戯曲ペール・ギュント』とか、ユダヤ人絶滅計画の原点となったマディソン・グラントの『偉大な人種の消滅』などは読み込んでいたようです。

政治家が本を読むには、レーニン型とヒトラー型があるように思えます。レーニン型は蔵書を持たないで、頭の中に入れる型。もう一方のヒトラー型は、そこそこの数の蔵書を全部読むという型です。

池上　後者は日本で言えば大平正芳（一九一〇～一九八〇年）ですかね。大平は総理大臣としてはかなりの読書家です。彼は道半ばで亡くなっちゃいますが、例えばいろんな人たちを集めて議論させた田園都市構想なんかの成果が出てくるのは、彼の死後のことです。
総理大臣当時、金曜日の夕方になると、虎ノ門書房に本を買いに行くんですよ。そこは二階に上がると、ちゃんとした古典があるんです。土日に公邸で読むんだと言っていました。選んでいる本というのが、ほんとのインテリでした。香川県立図書館に「大平文庫」があって、そこに彼の蔵書など約八六〇〇冊が残されています。インターネットでその目録を見ることができます。ギリシャ哲学、仏典、中国の古典から自然科学まで、それは実に広汎な分野にわたっていますよ。

佐藤　大平さんはたしかに半端ではない読書家でした。

池上　あと吉田茂（一八七八〜一九六七年）がいますね。「銭形平次を愛読してるよ」というセリフが有名で、一瞬、小泉純一郎氏かと思うんですが、まったく違うんです。彼の蔵書が外交史料館別館にあるんですが、約八〇〇〇冊のうち日本語の本は一四〇〇冊ぐらいで、残りの大部分は英語の本で、史書と戦史や外交史、ルーズベルト大統領（フランクリン・ルーズベルト、一八八二〜一九四五年）やマッカーサー元帥（ダグラス・マッカーサー、一八八〇〜一九六四年）やチャーチル首相（ウィンストン・チャーチル、一八七四〜一九六五年）の回想録や伝記は読み込んでいたようです。

それ以外では、イタリア美術史や推理小説や『チャップリン自伝』などがあって、フランスのジョルジュ・クレマンソー首相（一八四一〜一九二九年）が書いたフランス語の本（『ドイツを前にしたフランス』）も読んでいたようです。

佐藤　もう一人のインテリ総理と言えば、石橋湛山（一八八四〜一九七三年）ですね。それは『石橋湛山全集』（全一六巻）からもわかります。帝国主義、労農ロシア、軍縮・外交、金解禁、日本の再建構想と実に多岐にわたっています。

そして、大平と石橋の二人に共通しているのは、強力な宗教的動機があることです。

池上　たしかにそうです。

佐藤　大平の場合は、キリスト教プロテスタントのカルヴァン派で、石橋は日蓮宗で得度した僧侶です。二人は政治をやる背景のところに、つまりエトスのところで宗教的動機があって、それが本を読むことにつながっていたんじゃないか。超越的な使命を持っていたという意味では、二人はちょっと珍しいタイプかもしれません。

池上　そうかもしれません。

佐藤　それに対して、学校の勉強ができて大変な秀才であるのに、本を読む必要性をあまり感じていなかったタイプが、岸信介（一八九六〜一九八七年）であり鳩山一郎（一八八三〜一九五九年）という二人の総理だった。学校の教科書を超えるところの書籍にあまり関心を持っていないタイプに思えます。

それから『佐藤栄作日記』（全六巻）を書いた佐藤栄作（一九〇一〜一九七五年）のように、日記を詳細につけるような人もあまり本は読まないと思いますよ。読書ノートをつけるのならともかく、あれやった、これやったで、日記を書くだけで相当な時間がかかりますから。

■政治家と官僚の低学歴

池上　佐藤栄作は鉄道省に入省した官僚出身者でしたね。

佐藤　官僚上がりの政治家あるいは官僚系の人たちは、ある段階であまり本を読まなくなっちゃうのかもしれません。もしかしたら高等文官試験が影響しているのかもしれない。

池上　国家公務員試験ですね。

佐藤　というのは、官僚は基本書を何度か読んで暗記して、それを運用する能力を問われるから、それが読書の基本形になっちゃうんじゃないかな。娯楽として『坂の上の雲』を楽しむようなことはあっても、本から何かを得ていくスタイルは取らない。国家公務員試験に受かった人には、読書家が少ないような気がします。

池上　それは受験勉強的なものは得意だということですか。

佐藤　そうなんです。受験勉強がニアリーイコール読書ということになってしまって、読書にはあまり意味を求めない。それよりも現場主義的で、生の現場の情報なり、生の現場でやっている人の報告書のほうが、読書よりも価値があると考えてしまう。

　だから、霞が関で学者というと、いつも「さん」付けです。そこには現実を知らないという意味で、若干の侮蔑が入っているんです。アカデミズムと緊密に行ったり来たりしている欧米やロシアとは随分と違いますよね。

池上　海外の政界だと、ドクターと呼ばれる人が多いですからね。

佐藤　その何よりの証拠に、日本では修士号以上の学位を持っている官僚って、まだ非常に少ないんじゃないですか。文系のＰｈＤ（博士号）を持っているキャリア官僚なんか稀でしょう。これは国際的に見た場合、極端な低学歴になりますよね。ＰｈＤ論文を書くには少なくとも二〇〇冊ぐらい本を読まないといけないでしょ。そういう訓練を受けていないわけですから。

池上　ＰｈＤを持ったドクターと呼ばれるような人は、日本の政界には少ないどころか、ぜんぜんいないでしょう。

佐藤　いや、そこそこいます。もっとも日本の大学ではなく、アメリカの大学でPhDを取った人がほとんどです。ところで、諸外国の官僚たちは、アカデミズムには一定の畏敬の念があって、シンクタンクとかを通じて、アカデミズムと相互交流するわけです。そこで本をもの凄く読むんです。学術書を読まないエリートが日本ぐらい多い国って珍しいんじゃないですか。政治家だって、彼らが挙げるのは自己啓発本か娯楽小説ばかりでしょう。

池上　実は日本の政界や官僚エリートの世界は、諸外国から見たら、低学歴社会になっているんですね。学術の世界を評価することもないから、日本学術会議の人事にあんな乱暴な形で手を突っ込むわけでしょ。

佐藤　学者に対しては、小難しいことばっかり言っているなと。反対意見を言えば、国に反逆してアカじゃないのかと、こういう感じになってしまう。国際基準で見ると、日本の政治家と官僚は、まるで教養がないし頭が悪いと思われているんじゃないでしょうか。

例えば外務省では、職員が学位を取ろうとしても、取らせようとしないんです。池上さん、なぜだと思います?

池上　辞めて外に出ていっちゃうからじゃないですか。

佐藤　それは二番目の理由です。一番目は、学位を取らせると、しこしこ論文だけ書いて、外国語を喋る勉強をしないんです。すると外交官になっても会話ができなくて使えないようになるから。三番目は上司が修士以上の学位を持っていないので、なんとなくおもしろくないんですよ。その三つの理由が相乗して、結局、外務官僚は低学歴になっているんです。

池上　実にわかりやすい話だなあ。

■マルローとルカーチ

池上　ここでまとめておきましょうか。例えば反知性主義という言葉があります。反知性主義の政治家って、本当にいるんだなと思いますね。やっぱり若いころからそれなりに一生懸命、自分の生き方や社会のことを考えて、本を乱読するとか、そうした精神遍歴を経ていないと、「わかんなくたって、別にいいじゃん」みたいなことになってしまう。これはやはり悲しいことだと思います。

佐藤　それは間違いなくそうです。

池上　というのは、それなりの教養がちゃんとあって、自分を見つめた教養人が、なんで現在の日本の政治家にはいないのかという想いが私にはあるんですよ。
　高校の時に、アンドレ・マルロー（フランスの小説家・詩人、一九〇一～一九七六年）の『希望』を読んでスペイン内戦について知ったわけです。そしたら、そのマルローがフランスの文化大臣になったわけですよ。え！　こんな作家が大臣になるんだって、たまげました。マルローの評価はいろいろあるにせよ、フランスの底の厚さというか、文化的な基盤を感じ取ったんです。日本ならそういうことはあり得ないでしょう。

佐藤　池上さんは関心を持つところがメジャーですね（笑）。私の場合は、ジェルジ・ルカーチ（ハンガリーの哲学者・美学者、一八八五～一九七一年）なんです。『小説の理論』や『歴史と階級意識』を書いたマルクス主義文芸理論の大家ですね。彼は一九一八年のハンガリー革命の後に教育文化大臣になったでしょう。彼のような哲学者が大臣になれるなんて、就任期間が短期ではあっても社会主義革命っていいもんだという感想を持ちました。

池上　で、佐藤さんに伺いたいんですが、きちんとした読書の基盤がある政治家を日本で生み出すにはどうしたらいいんですか？

佐藤　松岡正剛《せいごう》氏に聞いたことがあるんですが、ある政治家に本の読み方を教えてやってほしいと言われてそれを試みたけれども、全然うまくいかなかったそうです。なんでうまくいかないのかもわからなかったと言うんですね。

池上　無理なんですかね。さらに言えば、私のように一九七〇年代前後の大学生だと、せめてこれぐらい読んでいなければ恥ずかしい、みたいなものがあったんですよ。ほとんどの政治家からそれは感じ取れないし、今の大学生にもないですよね。

佐藤　それは映画に関してもそうです。映画でも音楽でも、みんなが共通して体験しているものって少ないですよ。それほど知的な好奇心が衰えているということなんです。

池上　とすると、前章に続いて、またしても日本の未来は暗いということなんでしょうか。こりゃ、困ったね。

この章で二人が言及した本

『わが友マキアヴェッリ』

『マイ・アメリカン・ジャーニー』

『国家論ノート』

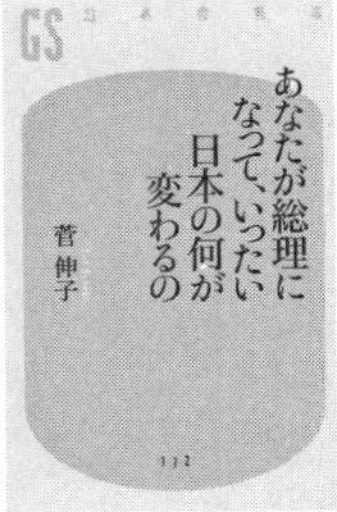

『あなたが総理になって、いったい日本の何が変わるの』

『唯物論と経験批判論』

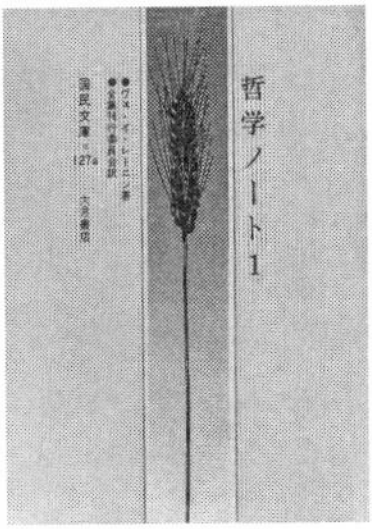

『哲学ノート』

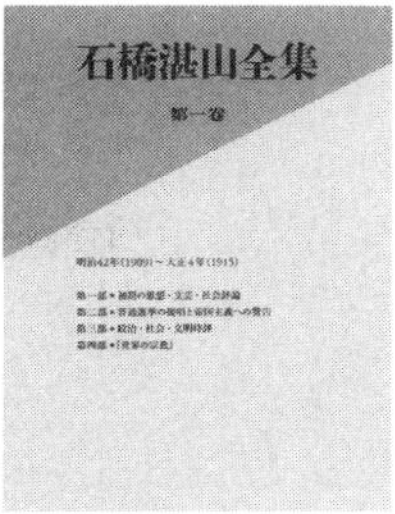

『石橋湛山全集』

『ヒトラーの秘密図書館』

『小説の理論』

『希望』

『歴史と階級意識』

【第五章】日本人論の名著を再読する

■改めて日本人のことを考えてみる

池上　日本人は昔から「日本人論」が大好きです。特に外国から日本がどう見えるのか、たいへん興味を持っています。

佐藤　それは日本特殊論ですね。日本は世界のどの国とも違う文化と特質を持った国であるという、ナルシシズムと不安がないまぜになった感情がその背景にはあります。

池上　新型コロナウイルスをめぐっても、この日本特殊論のようなものが現れました。例えば、ロックダウンしないで自粛だけで抑え込んだ日本は素晴らしいと、安倍晋三元首相が誇らしげに言っていましたよね。それから諸外国に比べて感染者が少ないということをもって、「ファクターX」があるんじゃないかということが言われました。感染が拡大していく中で、そこには、日本人はいい意味で特殊なんだという奇妙な自尊心のようなものも表出したように思います。その一方で、自粛警察など同調圧力の強さが議論になったりもしました。

佐藤　だからこそ、コロナ禍の今、改めて日本人のことを考えてみるいい機会とも言えますね。

池上　そこで最終章では、原点に戻って、外国人の書いた日本人論の「古典」三冊を道し

この章の参考書

『桜の枝』

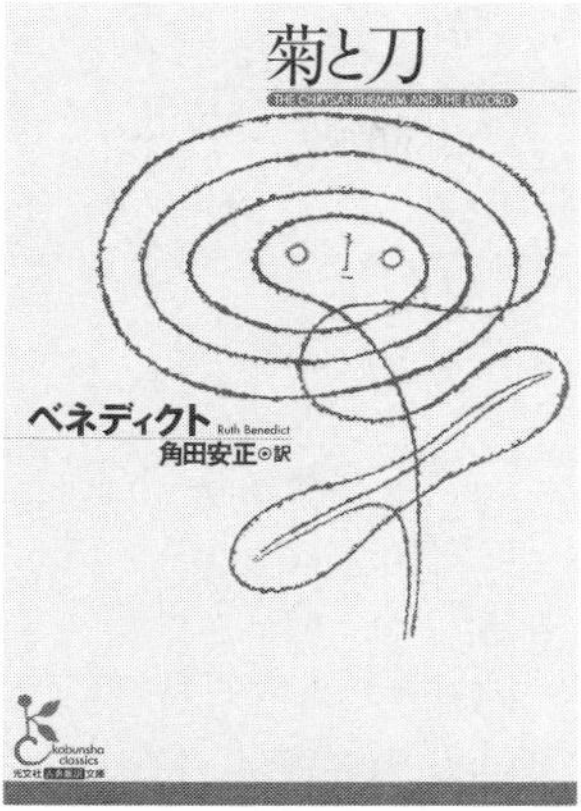

『菊と刀』

『ザ・ジャパニーズ』

るべにしてみたいと思います。刊行順に言いますと、ルース・ベネディクトの『菊と刀』（光文社古典新訳文庫）、フセヴォロド・オフチンニコフの『桜の枝』（サイマル出版会）、最後がエドウィン・O・ライシャワーの『ザ・ジャパニーズ』（角川ソフィア文庫）となります。

佐藤　これらはいずれも昭和期の日本を観察・分析したものです。現代の私たちから見ると、日本人はどれだけ変わったか、あるいは変わらないかという読み方もできます。また、ベネディクトとライシャワーがアメリカ人、オフチンニコフはソ連人といった視点の違いも興味深いです。

■『菊と刀』とその原型

池上　では、『菊と刀』から行きますが、その本の背景についてちょっと話しておきます。

ルース・ベネディクト（一八八七〜一九四八年）はコロンビア大学人類学科の教授だった人です。まあ、今で言う文化人類学者ですね。第二次世界大戦末期の一九四三年に戦時情報局（OWI）の海外情報部基礎分析課の主任となって、ルーマニア、タイ、ドイツなどについて研究して報告書を作成しています。

そして、日本との戦いが激しさを増した一九四四年六月に外国戦意調査課分析官も兼務して、三カ月で書き上げたのが「日本人の行動パターン」という報告書です。提出されたのは終戦直後の一九四五年の九月一五日付なのですが、実はこのリポートが『菊と刀』の原型なんです。

佐藤　『菊と刀』が刊行されたのは一九四六年一一月ですから、終戦直後から「日本人の行動パターン」をベースにして大幅に加筆したわけです。ちなみに『日本人の行動パターン』はＮＨＫブックスから翻訳出版されています。

池上　この「日本人の行動パターン」をどうやって作ったかというと、戦争中ですから、日本になんてもちろん行けません。だからアメリカにいる大勢の日系アメリカ人に面談したんですね。もちろん、外国戦意調査課には日系人のスタッフがいて、日本の新聞、雑誌、映画などを訳した膨大な資料があったといいます。そして、これらのものが書かれた目的は、『菊と刀』の冒頭の三行に明示されています。

「アメリカ合衆国が全面的な戦争においてこれまで戦った敵の中で、日本人ほど不可解な国民はなかった。手ごわい敵と戦争になったことは以前にもあったが、見越しておかねばならない行動と思考の習慣がこれほどいちじるしく異なっていた例《ためし》はない」

それほど当時の日本人はアメリカ人の目には、文化人類学者の手を借りなければならないくらい理解し難いものとして映ったということでしょう。たしかに、今の視点で読んだらおかしな部分もありますけど、よくまあこれだけ細かく調べたなと思います。

佐藤　本当にそうですね。

池上　例えば、日本はアメリカに対して死に物狂いで戦っているけれども、天皇が「止め」と言えば止めるんじゃないかとか、戦争が終わった途端にコロリと日本人の態度が変わったことを彼女なりに分析する箇所があるんです。あの当時、時代の制約の中で、これだけの分析ができたのは、いや、大したものだなと思います。

佐藤　「日本人の行動パターン」は戦争という締め切りがあるところで、えいや！　でやった仕事です。締め切りがなければもう少し分析を精緻に詰めて、結論としてはもっと慎重で曖昧なものになったと思うんです。しかし、この場合、エンドユーザーが軍人や政策意思決定者です。細かいことを言っていたらきりがないですから、精緻なんだけれどもわかりやすい範囲で作ったというところがポイントだと思います。

池上　大胆な類型化や言い切っているところからは、そういう意図を感じますね。

佐藤　『菊と刀』は戦後に加筆されてできあがったとは言っても、「日本人の行動パターン」の核心部分にはあまり手が入っていないんです。

で、日本には変なオリジナル信仰があるのでひとこと言っておきますと、なぜ原型である「日本人の行動パターン」を使わずに、改訂版である『菊と刀』を使うかということについてです。それは、日本の占領政策の中心を担ったGHQの民政局が、この『菊と刀』をベースにして政策の組み立てをしたから、重要性はこっちにあるということなんです。

池上　普及した流布版で見ることに意味があるということですね。

佐藤　オリジナルの方が本物で、普及版より重要だという思いこみには弊害もあります。例えば、初期マルクスに位置づけられるマルクス／エンゲルスの『ドイツ・イデオロギー』のアドラツキー版がそうです。一九五六年に刊行された古在由重《こざいよししげ》訳の岩波文庫がそれです。ところが、アドラツキー版は切り貼りして改竄《かいざん》された事実上の偽書であるということを廣松渉氏が言って論壇デビューするんです。そのインパクトがあまりに強すぎて、二〇〇二年に岩波書店はアドラツキー版を廃して、きわめて特殊な廣松渉編訳の新編輯版を文庫に入れたわけです。

ところが世界の九九%は、『ドイツ・イデオロギー』をアドラツキー版で読んでいるわけですから、世界的に影響を与えてきたのは、こちらの方なんですね。だから偽書であるうが、何であろうが流布版で勉強しなければならないんです。

池上　『菊と刀』も同じことですね。

佐藤　ええ。それともう一つあまり知られていないことがあって、アメリカは『菊と刀』と並行して、沖縄研究もやったんです。それは『菊と刀』が出るおよそ二年前の一九四四年一一月に、『琉球列島に関する民事ハンドブック』というＡ４判で三四四枚からなるかなり大きな本となって出ました。ちなみにこれは沖縄県教育委員会が出した『沖縄県史』の「資料編」として入っています。これも貴重な琉球論であり、また日本人論としても読めます。

池上　まして占領のための研究ですからね。

佐藤　『菊と刀』の原型になった「日本人の行動パターン」は、アメリカの戦時情報局が編成したコロンビア大学のチームが作った。それに対してこの沖縄研究本を作ったのはイェール大学のチームでした。

■戦後日本のグランド・デザイン

佐藤　で、『菊と刀』の核心部分は例えば次のくだりです。

「明治時代の指導者は、おのれの使命をイデオロギー革命ではなく、事業と見なした。彼らの想定していた目標は、日本を存在感のある国にすることであった。彼らは伝統をやみくもに破壊しようとしたわけではない。封建階級を貶《おとし》めるとか、没落させるとかいうことはしなかった。むしろ、高額の秩禄《ちつろく》によって封建階級の気を引き、結局は明治政府を支持する気にさせた」

池上　第4章の「明治維新」の一節ですね。

佐藤　ここにはいわゆる日本のマルクス経済学界の講座派的な考え方が見てとれるわけです。

池上　ええ。『菊と刀』の中に講座派的な視点はあちこちにありますね。

佐藤　ベネディクトと面談した在米日系アメリカ人には講座派の影響を受けた人間が多かったのだと思います。それにアメリカ共産党には、黒人やアジア系はもとより日系人がけっこういました。アメリカ共産党は第二次世界大戦への参戦はファシズムとの戦いであると位置づけたので、時のルーズベルト大統領に積極的に協力しました。

それで、アメリカの占領政策として使える点は、逆に、この封建的なものを改革すれば、日本はまともな民主主義国になるということなんです。

池上　なるほど。

佐藤　それから、『琉球列島に関する民事ハンドブック』の核心部分は例えば次のくだりです。

「**民族的立場**　日本人と琉球島民との密着した民族関係や近似している言語にもかかわらず、島民は日本人から民族的に平等だとは見なされていない。琉球人は、その粗野な振る舞いから、いわば『田舎から出てきた貧乏な親戚』として扱われ、いろいろな方法で差別されている。一方、島民は劣等感など全く感じておらず、むしろ島の伝統と中国との積年にわたる文化的つながりに誇りを持っている。よって、琉球人と日本人との関係に固有の性質は潜在的な不和の種であり、この中から政治的に利用できる要素をつくることが出来るかも知れない。島民の間で軍国主義や熱狂的な愛国主義はたとえあったとしても、わずかしか育っていない」

池上　なかなか核心を突いていますね。

佐藤　なぜ、ここが重要かと言いますと、マッカーサーは占領当初、琉球人異民族説に立っていたからです。今の沖縄問題の根源は、『琉球列島に関する民事ハンドブック』によって組み立てられた基本戦略にあるのであって、それは今も生きているということなんです。

だから、『菊と刀』と『琉球列島に関する民事ハンドブック』は、戦後日本の原型、つまりグランド・デザインをつくっていく上においてはベースになった。その重要性はもの凄いわけです。

■最大の問題は「恥の文化」と「罪の文化」

佐藤　『菊と刀』の各論に入っていきますと、大きな意味でこの本が果たした重要性とは違って、池上さんもさきほど「おかしな部分」とおっしゃったけれど、最大の問題は例の「恥の文化」と「罪の文化」の二分法のところです。

「異なるさまざまな文化を対象とする人類学の研究においては、二種類の文化を区別することが重要である。一方は、恥を強力な支えとしている文化。他方は、罪を強力な支えとしている文化である」

　これは決定的な間違いだと思いますね。日本人は周りとの関係における恥だけで、罪の意識は希薄だとしているんですけど、そんなことはないでしょう。日本人は恥だけを規範にして生きていると言うのなら、例えば日常語で言うところの「お天道様が見ている」なんていうのは明らかに罪の概念なわけでしょう。恥も罪も両方持っているわけです。

池上　「日本の生活においては、恥が最高の地位を占めている」とも言っていますけど、江戸時代の武士ならいざ知らず、昭和の時代に世評だけを気にして生きているわけじゃありませんからね。

佐藤　そもそもこの二分法自体に問題があるんです。そんなのは少し考えてみればわかることです。チェコの神学者のフロマートカ（ヨゼフ・ルクル・フロマートカ、一八八九〜一九六九年）が日本に来たときの訪問記を書いているんです。しばしば恥と罪の二分法を聞かされて、うんざりしたと。恥も罪も普遍的な概念であって、民族がそれによって二分されるわけじゃない。だいたい、欧米にだって、恥の感覚だけで生きている人はいくらでもいるんだ、と。まあ、当たり前の話ですよ。

池上　きっとベネディクトの二分法を鵜呑みにした人間が、フロマートカにしつこく講釈したんでしょうね。

『菊と刀』の面白い部分で言いますと、第9章の終わりの方で、戦争中に日本が作った戦争映画をアメリカ人が見ると、「今まで見た反戦映画の中で最高の作品だ」と思うんだけども、日本では戦意高揚ものとして使われていたという箇所です。ぬかるみ続く行軍と、一家の大黒柱を失って家族が必死に生きていこうとする姿、そんなものを見て戦意高揚するのかと、アメリカ人は驚いたわけです。

佐藤　日本の戦意高揚映画っていつもそうなんです。敵機空襲があって、銀座四丁目が破壊されて服部時計店も爆破されて、下町も火の海になる。そういうのを延々と映し出しておいて、最後は、「ちぇっ！　これしきの戦争、屁でもない」と終わるというパターンですね。

池上　アメリカ人にとっては、「戦争にともなう犠牲と苦痛を主題としている」と見えるんですが、日本人はそうは見ない。映画を作った人たちも、日本人がそれを見て反戦思想に走ることがないことを知っていたと書いてあります。

佐藤　それから優れていると思った箇所を引いておきます。

「日本の将来を憂える指導者が、国家の再建にあたって特に注意を向けて取り組むべき事柄は、いじめの問題である。また、中学以降の学校や軍隊において少年たちに馬鹿げた芸当をさせる風習である。（中略）

学校や軍隊において年下の少年は年上の少年に命じられてさまざまな芸当をさせられる。たとえば、犬のように尻尾を振る、蟬《せみ》の鳴き真似をする、人の食事の最中に逆立ちをするなどがそれである。年上の少年はそのようなことをさせておきながら処罰を受けることはない。このようなことがなくなれば、日本の再教育にはもっと効果的な変化が生じるであろう。それにくらべれば、天皇の神性を否定するとか、教科書から愛国主義的な教材を削除するなどの処置は、効果が限られている」

池上　第12章の「子どもは学ぶ」のところですね。これはたしかに見事な分析です。蟬の鳴き真似とか、細かいディテールもよく拾っていますよね。

佐藤　天皇の神性を否定することより、こういういじめをなくすことの方が、日本の再建のためには効果があるというところが面白いです。

池上　それと、「わたしたち（アメリカ人）は『善は勝つ』という言い方をする。締めくくりはハッピーエンドでなければならない」と書いてあります。私なんかは中学、高校ぐらいかな、なんでアメリカ映画って、全部ハッピーエンドで終わるんだろうって思いましたよ。日本文化の中で育つと、都合良くそんなことになるわけないだろうって思っちゃうんですよ。

佐藤　ハッピーエンドで終わるのは、おそらく「喜劇」ということなんでしょうね。ダンテ（ダンテ・アリギエーリ、中世イタリアの詩人、一二六五〜一三二一年）の『神曲』がLa

Divina Commedia、つまりどうして Divine Comedy（神のコメディ）なのかと言えば、最後に天国に行きつくからハッピーエンドなんです。それを悲劇に対して喜劇と言っているわけです。

　喜劇はすべてハッピーエンドで終わる。だから、日本人の感覚からすると、アメリカの映画はすべて喜劇に見えるんです。

池上　それだからこそ、ある意味、アメリカ映画は安心して見ていられますね。ヒーローやヒロインがどんなにひどい目に遭ったって、どうせ最後はハッピーエンドだろうと。宇宙人が攻めてきたって、必ず宇宙人は最後に撃退されるわけですから。

■『菊と刀』の画期的な意味

佐藤　『菊と刀』は曖昧模糊とした日本について一つの道筋を作った手引書ですよね。すると、今度はこの手引書のマニュアルに則して、日本人が日本人論を作っていくわけです。それで実態からどんどん乖離していく。

池上　私ぐらいの世代がこの本を読むと、おお、なるほど、よく見ているなって思うんです。しかし、よく考えてみると、この『菊と刀』が外側から日本人とはこうなんだよと規定したことを受け入れてしまっている部分はあるんですね。いつしか私たち自身もそういうふうに思い込んでしまっている。

佐藤　それは興味深いことなんですが、言葉で分節化されると、それに沿ってものごとを見てしまう。その意味においては、『菊と刀』は日本人を分析する様々な枠組みを作り出したわけですから、そのこと自体が画期的ではあるんです。つまり、新しいフォーマットを創作したわけで、それは偉大なことです。

さきほど言いましたように、『菊と刀』は民政局の政策に反映された。それから、日本国憲法における奴隷制の廃止とか、占領軍がなぜああいう憲法を作ったのかとか、『菊と刀』の文脈で読まないとわからない部分はありますね。なぜ農地改革したのか、なぜ教育基本法を制定したのか、あるいは天皇制を残したのはなぜなのかということです。

池上　財閥解体なんかもそうです。戦後日本の国作りに、相当な影響を与えたわけです。

佐藤　そこには講座派の日本観が色濃く表れています。つまり、「原始社会→奴隷制→封建主義→資本主義→社会主義」というマルクス主義が想定する社会の発展段階で言えば、日本は三番目の「封建主義」の段階でしかないという史観が強く反映されたのです。『菊と刀』に書かれているのは講座派の日本観を取り込んだルース・ベネディクト個人の見解ではあるんですが、当時のアメリカのエリートたちも共有した標準的な見解でもあったということでしょう。

池上　ベネディクトは日本人が読まなくなって久しいんじゃないですか。

佐藤　ほとんど読まれていないでしょうね。比較的最近で言えば、この著作を評価したのは西部邁さんですよ。『菊と刀』って言うと、みんなバカにするんだけれども、意外と重要じゃないかと言っています。その通りだと思います。

■ソ連人がはじめて描いた日本人の諸相

池上　では、オフチンニコフ（一九二六～二〇二一年）の『桜の枝』に移りましょう。彼はソ連共産党の機関紙『プラウダ』の特派員で、日本には一九六二年から六八年まで滞在しました。

佐藤　彼が赴任したのは北京、東京、ロンドンで、帰国して編集委員を務めましたから、当時の共産圏の『プラウダ』の中では、超エリートです。

　面白いのは四国の漁村に行った話が出てくるでしょう。

池上　冒頭のところですね。

佐藤　これは『プラウダ』の記者だから行けたんです。どうしてだと思います？

池上　旅行制限ですか。

佐藤　そうです。私が外務省で最初に入ったときの担当が、ソ連人の旅行制限なんです。ソ連人は日本橋から四〇キロ以遠に出るときには必ず許可が必要だったんです。その許可の対象は、ソ連大使館員と通商代表員とアエロフロート（航空会社）とインツーリスト（旅行会社）の旅行者でした。要するに、ソ連の機関員が入っている可能性があるからですね。

　日本政府がこういう措置を講じていたのは、ソ連政府が日本人を含む外国人外交官を、モスクワのクレムリンから四〇キロぐらい離れた大環状線より外には出られないようにしていたからです。

池上　まさに冷戦時代だったんですね。

佐藤　そもそも当時、ソ連の日本への旅行者は団体旅行でしか来られなくて、あらかじめ行き先と連絡先を全部書かないとビザを出しませんでしたから。ところが、ジャーナリストだけはフリーなんです。それを制限すると、報道の自由に抵触するので。

池上　道理で、日本のいろんなところに行っているなあと思いました。

佐藤　オフチンニコフは日本の津々浦々を見て、そこで日本人の心情はどういうものなのかをチェックして歩いた。膨大なリポートを書き上げたはずですけど、表に出してもいい部分だけを書籍化したということですね。

今から読むと、ソ連のジャーナリストが見た日本人論なんですが、東西冷戦下の当時においては画期的な本だったわけです。

池上　そうでしょうね。

佐藤　当時の『プラウダ』の記者が書かなければならなかったのは、山谷《さんや》と釜ヶ崎に基地反対闘争ということに決まっていました。その中で日本人の生活の諸相を伝える本を出したのは、オフチンニコフが日本というものを過小評価してはいけないと非常に強く感じたからでしょうね。

池上　例えば、「花と茶」の項で筑豊《ちくほう》の（三井）三池炭鉱の闘争を見に現地に行っていますね。当時の日本社会党左派が指導した炭労（日本炭鉱労働組合）の闘いは、ソ連としては全面的にこれを評価していました。

佐藤　三池闘争に関しては、日本共産党はそれまで暴力主義的破壊活動などの極左路線に走っていたために、大衆の支持を失ってほとんど関与できなかったんです。

池上　オフチンニコフは階級闘争の筋書きに沿ってリポートしようとしたんだけれども、彼はそこにいた女性たちに目が行くんです。

夫を事故で亡くした未亡人が招いてくれた組合事務所のバラックに、生け花教室があったと。階級闘争を見に来たのに、日本人はちょっと違う。労働争議の真っ最中でも美意識というものがあるんだなという非常に不思議な視点から書いているんです。意外なことを見つけて、どうやって報告すべきか迷ったみたいな話で、ここは非常に人間的というか、教条主義ではないリポートなんですね。

佐藤　それは彼がソ連共産党内の対日関係改善派だったからなんです。ちなみにお嬢さんは、ソ連崩壊後、モスクワの日本大使館に勤務していました。非常に日本語が堪能でしたよ。

池上　『桜の枝』は一九六〇年代の日本を活写していますから、古き日本はどんなものだったかを見ることができますよね。例えば、「おじぎとお詫びの崇拝」という項で、日本人は家の中はとってもきれいにするが、外だと道にゴミをポイポイ捨てていると。映画館でも汽車でもオフィスでも、人々は平気で、タバコの吸い殻、あきびん、キャンデーの包み紙、といったくずを捨てる。これ、第三章のオリンピックのところで話しましたが、実際、そうでした。

佐藤　イヌのウンコも多かったですよ。

池上　多かったです、はい。よく踏んづけました。

家の中では父親が絶対的な権限を持っていて、みんながそれに従うという話も本文中に出てきます。そう言えば私が小学生のとき、父親が仕事から帰ってくると、母親に言われて玄関に迎えに出て、そこで正座して、お帰りなさいませって、頭を床につけていましたよ。

佐藤　ああ、そんなものでしたよね。

池上　土日は必ず父親が一番湯に入りましたしね。日本のいろんな家の中で父親の権威が落ちるのは、とりわけ高度成長期以降なんでしょう。

佐藤　裏を返すと、父親の収入だけで、家族を養えていた時代でもあります。父親が威張れた時代です。

池上　この本を読んで、昔はそうだったよねと、懐かしい部分はありましたよ。

■『桜の枝』が二種類ある理由

池上　ちなみに『桜の枝』は二種類ありますね。サイマル出版会の『桜の枝』と、新潮社が出した『サクラの枝』。内容はおおむね変わらないんですけど、ずいぶん構成が違っていて、『桜の枝』のほうが分量も多いのかな。新潮社版は一九七一年に出て、サイマル版は一九八三年です。

佐藤　ロシア語の原典が二回出ていますから。ちなみに旧ソ連時代は、本の二刷りというものはなかったんです。というのは、当時、版型を鉛で作っていたんですが、一回刷ったらその鉛は溶かしちゃうわけです。例えば党関係のもので五〇万部刷ったら、刷るのは一回きりで、残部はシベリアの倉庫に入れておく。

池上　古いものの版型が残っていると危ないということですかね。

佐藤　それもあります。例えば、『レーニン全集』の第二版と第三版は禁書だったんです。特に『レーニン全集』第二版は、ブハーリン編纂です。第三版は第二版の註を省いた普及版です。

　ブハーリン（ニコライ・ブハーリン、ソ連の政治家、一八八八〜一九三八年）はスターリンに粛清されて銃殺刑になるんですが、この第二版にはレーニンを批判した人たちのいろんな文書が註として、巻末にたくさん付いています。そんなものを流布できるわけがないので、特別な図書館に行かないと第二版は見ることができませんでした。

日本では一橋大学の図書館に一セット入っているだけだったんですが、私がモスクワの古書店で苦労して手に入れたので、日本には都合二セットはあります。

池上　佐藤さんが前におっしゃっていたけど、初刷りだけで二刷りがないというのは、計画生産の側面もあるわけですよね。

佐藤　その通りです。計画生産ですから、本を出す五年前に国民から希望を取るんです。『書評』という新聞に刊行計画が載っていて、五年後に何が出るかがわかります。それで購入者の募集をして、プラス、国としてどれだけ追加するかで部数を決めて、五カ年計画に嵌《は》め込んでいくわけです。

池上　なるほど。

佐藤　だから一冊の本を作るのに、企画から出るまでに七年から一〇年かかります。で、その特徴は何かと言うと、誤植のないことなんです。ソ連の本は非常に誤植が少ないことで有名です。

『惑星ソラリス』や『ノスタルジア』で知られるアンドレイ・タルコフスキー（ソ連の映

画監督、一九三二〜一九八六年）の映画で『鏡』というのがありますね。校正者をしている母親があるときに気が付いて、夜中に編集部まで駆けていって、ゲラのチェックをするシーンがあるんです。それは誤植があったら、編集の責任を問われて大変なことになるからです。

例えば有名な話で、これは内村剛介（ロシア文学者、一九二〇〜二〇〇九年）が書いていますけど、ロシア語のTの筆記体とLの活字体は形が似ているんですが、スターリンをスラーリンとやってしまったら、「垂れ流し野郎」という意味になる（笑）。そうすると銃殺になりかねない話ですから。

池上　それは命懸けですな。戦前・戦中の日本の新聞で天皇陛下が字割れしないように、「天皇陛下」と四文字が固定された鉛活字にしていたようなものですね。

■『菊と刀』をパクったことの意味

池上　さて、『桜の枝』で驚いたのは、この本はルース・ベネディクトの引用もあるんですが、ある種丸写ししたような箇所が出てくるんですね。例えばお見合いの話なんかがそうです。それぞれの親が子どもを連れて、たまたま出会ったかのようにするんだけど、それが実際はお見合いなんだというシーンが丸ごと出てきます。そういう意味でも、『菊と刀』は大きな影響を与えたんだなと思いました。

佐藤　谷崎潤一郎からパクっているところもある。いろんな本からパクっているんです。

池上　『陰翳礼讃《いんえいらいさん》』ですね。

佐藤　『菊と刀』は、「菊も刀も、同じ日本像の一部なのである」「軍事を優先しつつ、同時に美も追求する」というふうに美意識ではじめているんですが、『桜の枝』も同様に、第一章は「日本人の美的世界」という具合に美意識ではじめています。まさにベネディクトのパクリということに意味があるんです。

どうしてかというと、後で見ていくライシャワーとは根本的に立ち位置が違うからです。ライシャワーが描いたのは同盟国の日本です。しかし、オフチンニコフは東西冷戦下の敵国である日本なんです。だからその意味において、日米対戦下のベネディクトと視座が近いんですね。敵である日本をどう理解するかがキモだったわけです。

池上　その割には、そうとう日本に対して好意的ですよね。

佐藤　当時のソ連共産党の公式見解は、「日本は米国に従属して、自由にものが言えない国だ。それでいて帝国主義的である」というものでした。ところが、『桜の枝』が描いたのは、日本は党の公式見解よりはるかに自立していて、独自の文化性があって、日本企業にしても起業家精神に富んでいるということです。だからこそ、対日関係改善派としてのこの本は、ソ連共産党の中では批判を受けたんですね。とは言え、その基本的な視点は、敵としての日本をよく知ることでした。

池上　「美の四つの尺度」という項があって、その四つとは、「さび」「わび」「しぶい」「幽玄」だと言うんですが、京都の龍安寺《りょうあんじ》の石庭《せきてい》の話が出てきます。

「アメリカ軍の軍事基地からやってきた見物人たちは、この庭園に『テニスコート』というあだ名をつけた。数字的表現で美を見ることに慣れてしまった人びとが、この庭園に見るものは、白い砂利を敷いて、その中央に一五ばかりの岩石を無秩序にころがした長方形の場所にすぎない」

　ここにも冷戦時代を感じるのですが、アメリカ人っていかにダメかという話にしていますよね。日本には素晴らしい美の伝統があって、われわれソ連の人間にはそれがわかる。ところが教養の低いアメリカ人たちは、この美は理解できない。これは非常にプロパガンダ的なところですよね。

佐藤　たしかにそうです。

■日本文化への肯定的な評価

池上　ロシア人は美について非常に敏感で、アメリカ人と違って優れているんだぞというトーンが一貫しています。この本はソ連でもよく読まれたんですか。

佐藤　もちろんです。ベストセラーになって、もの凄く高い闇値がついていました。それで、さきほどの「生け花」が、この本のせいでロシア語（икэбана）になっちゃいましたから。だから、みんな、素人生け花をやっていましたよ。

池上　へえー。ソ連では、この本のどの辺が最も興味を引いたんでしょうか。

佐藤　日本とは日露戦争や日ソ戦を戦ったわけですが、まず、日本人のイメージはよく知られていなかったことがあります。ソ連人だったら誰でも知っている「三人の戦車兵」という軍歌があるんです。「アムール川の切り立った岸辺には祖国の守備兵がいる（中略）／この夜、サムライたちは決めた／国境の川を渡ることを（中略）／サムライたちが地面に倒れた／鋼鉄と火砲の攻撃の下に／そして完勝」――そういう歌です。

日本人と言えば、残虐なファシスト・サムライ、それからソ連人も被験者にされた七三一部隊であるとかそんな程度のものでした。それが帝政ロシア時代以来、この本ではじめて日本の文化というものを肯定的に評価したことがやはり驚きだったんですね。

池上　なるほど。

佐藤　例えば嘉永七（一八五四）年の大地震でロシアの軍艦ディアナ号が大破して、駿河湾で沈没する事件がありました。日本はロシアのために船を建造してあげるんです。この事件を枕にして、オフチンニコフは次のように述べます。

「ディアナ号が漂着したときから少し前に、ペリーの率いるアメリカの小艦隊が姿を現わしたのはここだ。当時日本の民衆からつけられたあだ名の『クロフネ』の来航は、海の彼方から植民地列強が侵入してくる恐れのあることを予告した事件であった。

日本は、一日も早く近代的な船隊を建造する必要に直面した。ディアナ号事件は、近代的造船術を学ぶ絶好の機会となった。このとき日本で最初の竜骨船を建造するのに使った設計図が、のちに飛行機を発明したロシア海軍士官モジャイスキーの手になるものであった、というのは面白い話である。

それからちょうど百年後、日本は世界第一位の造船国となった」

日本人の技術能力がいかに高いのか、そういう肯定的な文脈で日本人を扱ったことが、当時のソ連では画期的なことでした。

池上　敵国を深く理解するときに、肯定的な面も書くということが、『菊と刀』にも共通していますね。

佐藤　そうなんです。例えば、ソニーの成功譚も出てきます。

「一九七〇年代になったばかりの頃、（社長の）井深（大）氏は私に『日本式のそろばんぐらいの大きさの電子計算機を考えている』と話したことがあるが、この構想はすでに実現している。いまソニーの社長の頭のなかにあるのは、普通のカメラの大きさのビデオカメラだ」

それでソニーは市民に普及するような形で、そのビデオカメラを作っている。ソ連からすれば考えられないことだ。こういうところで、ソ連は日本に学べと言っているわけです。

池上　そのように結論付けること自体が非常に新しかったわけですね。

佐藤　そうです。それから面白いのは、日本が経済的に成功した理由は非軍事化と関係している。一番である必要はなくて、二番以下で追いかけていればいい、それが成功の秘密であると。こういう分析も興味深いですね。

「武装兵力の戦闘能力を第一に考えれば、どうしても自前で科学の最新成果を求めなければならなくなるからだ。ところが日本は、当分は技術面の最新知識、すなわち、もう軍事秘密でなくなっている昨日の発見・発明で事足りたのである」

池上　つまり、ソニーのような企業は、最新技術を追い求める必要はなくて、技術のスピンアウトでいいということですね。

佐藤　そうです。オフチンニコフが引用した次の箇所も非常に面白いです。

「日本の政治家も実業家も映画監督も、またスポーツマンも、個性としては異常なまでに特色のない人たちであり、いかにタイプライターを軽業のように駆使したところで、かれらの姿を平均的読者の興味をひくほど生彩に富んだものに描けはしない。

日本の社会は傑出した個性を認めない。ほかの者より先んじようとする者は、だれかれの区別なく足を引っぱられる。もっとも聡明で判断力に富んだ日本人たちは、ほかの者よりも先にこのことに気づいている。

きわめて特色のある個性になるだけの才能の持ち主が、たいへんな大勢順応主義者に変わり、なにかのグループの、ほとんど名もない一員になるという日本的な方法で出世していく理由は、ここにある」（ラファエル・スタインバーグ『なぜ日本のことは書きにくいか』）

池上　いや、いい着眼ですよね。

佐藤　だから今、雇用が流動化しても、コア社員はこういうふうな形で作られていくから、押しの強い人間はトップまで行かないんですよ。続きがまた面白い。

「芸術界でさえ個性という言葉は物議をかもす言葉になっている。音楽指揮者の小沢征爾の話は有名だ。かれが海外で大変な成功をおさめてから日本に戻ってきたとき、日本のおもだった交響管弦楽団は、かれと演奏するのを断ったのである。

また日本の美女ナンバー・ワンの映画女優山本富士子の話も有名である。彼女は、ある映画会社との契約の延長を望まなかったが、雇い主にたいする服従の義務を果たさなかったという理由で、たちどころに日本の映画界から事実上締め出されてしまった。

実業界では、ひとはかれが勤めている会社のおかげで世間に知られるのであって、かれの才能のおかげではない。名刺がなくては、かれは個人としてなにものを代表するものでもない」

池上　たしかに、山本富士子はナンバー・ワン美女と言われましたが（笑）、小沢征爾の件にしても実に詳しく書かれていますよね。そして、こういう箇所で、うん、うん、そうそう、いまもまったく同じようなものだねと思いながら読みました。

佐藤　わざわざこの部分を引用したオフチンニコフは、日本のことをよく見ているんです。今、日本は大きく変わっていると言うんだけれど、変わっていない部分を知る点においては、外国人の視点は非常に重要だと思います。

池上　変わった点と変わっていない点、その双方を提示してくれるのが、外からの日本人論なんですね。

■大きな役割を果たした大使、ライシャワー

池上　では、ライシャワーの本に行きますか。エドウィン・O・ライシャワー（一九一〇～一九九〇年）は、駐日アメリカ合衆国大使（一九六一～一九六六年）で、退任後はハーバード大学日本研究所所長を務めた人です。平安朝の古文、漢文も読めて、学位論文は円仁《えんにん》（平安初期の天台宗の僧、七九四～八六四年）の『入唐求《にっとうぐ》法巡礼行記《ほうじゅんれいこうき》』の翻訳と解説だといいますから、日本通とかいうレベルを超えた人です。

佐藤　ライシャワー・クラスの大使が赴任するというのは、なかなかないことです。このレベルの人が来たのは、やはり日米間に戦争があったからです。

池上　赴任した時期は、日米安保条約締結直後で、またアメリカがベトナム戦争の最中でもあったので、反米感情が非常に強く難しい時期でした。それで一九六四年、ライシャワーがアメリカ大使館の前でナイフで大腿部を刺されて重傷を負うんです。このときに輸血

してB型肝炎になっちゃったんですが、「私の体の中に日本人の血が流れることになりました」と言ったんです。この発言は見事なものでした。

佐藤　この大使のおかげで、日本人の草の根からの対米意識が随分と変わりましたよね。その意味では、大きな役割を果たした大使です。

池上　それで彼が書いた大著『ザ・ジャパニーズ』の帯には、「『日本』を学び直す最良の手引書！」とあります。「まえがき」に、書くにあたって重点を置いたのは、「第一に日本社会のもつ一般的なしくみとその主な側面、第二に日本政府の構造と政治制度の運営方法、第三に外部世界と日本との関係」としています。

佐藤　文庫版で本文は六八四ページありますが、このぐらいのサイズで日本の全体像を知るにはとてもいい本だと思います。

池上　翻訳も國弘正雄さんですから、流石《さすが》なもので読みやすい。例えば今の若い人から「日本って、どんなところですか？」と聞かれたら、「とりあえず、これを読んでごらん」と薦めるテキストとしてもいいですね。そもそも歴史的背景が書いてあって、天然資源とか地理の教科書みたいな側面もあります。

■日本の神秘性を剝ぐ

池上　ライシャワーは大使だったこともあって、独自の日本論を展開するのに遠慮があったのか、歴史をなぞっただけみたいな部分もかなりありますよね。私が面白いと思ったのはここです。

「同時通訳者が、摩訶不可思議な技能をもっていることは事実であるにもせよ、元の発言の三分の二程度しかカバーできないこともしばしばである。明らかな誤訳はひきもきらない。現に私も、アメリカ人の質問が少しばかり誤訳され、日本人の応答がこれまた誤訳された、という例を何回となく見聞きしてきた。見当はずれな回答を得たアメリカ人が、どうも日本人の思考過程は自分たちのそれとはちがうらしいと速断することも、大いにありうることなのである」

通訳・翻訳の問題で、誤訳するのは、日本人がミステリアスであることが原因だったのかもというところです。

佐藤　その文脈で言いますと、ラテン文字一九字と、あと一つ二つの補助記号があれば日本語の表記は完全に行われる、特に耳で聞いて理解できるような日本語ならば、この表記法で簡単に読み下すことができるとしたあとです。

「日本人の多くは、そうは考えていない。でも、第二次大戦中、日本の暗号を解読し翻訳した経験を通じ、私にはこのことがはっきりわかったのである。

　占領初期、アメリカ軍がローマ字表記への移行を強要するのではないか、という感じを抱いた向きもあった。だがそういう運びにはならなかった。のみならず今日、一部の言語専門家を除いては、ローマ字化への関心は、微々たるものでしかない」

　この人は本当はどういう人なのかというヒントが、この辺に少し出ていますよね。

池上　つまり、日本の神秘性を剥ぐためには、ローマ字化がいいということです。ライシャワーの占領軍としての感想といいますか、敵国としての思惑が表れているわけです。

佐藤　そうですね。続けて漢字の有用性に話は続きます。

池上　「漢字には、表音文字にはない美的な価値がまつわっている」というところですね。

「学術用語や技術専門語の場合、漢字で書かれておれば、その構成から、意味が自ずと明らかになる、という便宜もある。『氷河』であれ、『考古学』であれ、六年生にもなればまずまちがいなく察しがつくのも、単語を形成する漢字があればこそである」

　そうは言っても、この人の結論はやっぱり日本語の表音文字化なんです。「何世代かのうちには、日本人も、特殊な目的は例外として、徐々に表音的な表記――少なくとも表音性のもっと高いそれ——へと、ギアを入れかえるであろう」と言っていますからね。

佐藤　やはり、他国を評するときに、評する側が考えていることが浮き上がってきますね。それは他文化論をやるときの不可避的な側面です。

池上　とは言え、ライシャワーは日本生まれで、東京帝国大学文学部と京都帝国大学文学部国史学科で学び、日中戦争中には北京に留学して中国語も学んだそうですから、ベネディクトとはアジアに対する皮膚感覚もだいぶ違うんでしょう。

佐藤　しかし、これだけの日本通であっても、龍安寺の石庭の説明はこうなります。

「これは幾何学的な様式を愛した西洋人の好尚とは、際立った対照を示している。京都・龍安寺の『石庭』が名高いが、われわれはそこに日本人の好尚の投影をみてとることができる。石庭は十五世紀につくられたものだが、白砂が敷きつめられ、数個の岩がおかれた小空間の中に、壮大な大海原が浮かび上ってくるというしつらえである」

　このライシャワーの解説は基本的に、オフチンニコフが批判したところの「テニスコート」の延長上にある見方ですよね。オフチンニコフが観取した「幽玄」というキーワードには気づかないわけです。

池上　ライシャワーは、石庭は宇宙を表象し、大海原を表しているから凄いと言っているんですね。

佐藤　日本人だったら、こう考えます。この庭園は、一五の石のうち一四しか見えない。いつも一つは隠れているから、真理の全体というのは人には見えないんだと解釈するはずです。

ちなみに、実は、オフチンニコフの石庭の説明は不十分だというので、後に、ソ連国営テレビのウラジーミル・ツベートフ記者が、『竜安寺の15番目の石』（サイマル出版会）という本を書いたんですよ。これは日本文化と文明の関係について論じた本です。だから、ロシアでは石庭が非常に有名で、来日したロシア人にはまず龍安寺に連れていけって言われるんです。

■外国人が書いた日本人論の見どころ

佐藤　ライシャワーがこの本を書いたときの状況と大きく変わっているのは、やはり教育に関するところです。

「四年制大学となると、女子学生の数は際立って減り、一九五〇年には、四年制大学生のうち、女子学生の占める比率はわずかに二パーセントにすぎなかった。女子大学――その大半はキリスト教関係である——もいくつかあるが、他の大学——いずれも今日では男女共学である——に関するかぎり、女子学生の割合は五分の一で、一流大学となると一〇パーセントそこそこでしかない」

一九五〇年のデータですから、こんな感じだったんですね。

池上　ここは本当に劇的に変わりました。私が高校生の六〇年代末だって、四年制大学なんか行くと就職できないから、あるいは結婚に支障が出るからといって、優秀な女性もみんな女子短大に行きましたからね。女性で四年制大学に行くのは、学校の先生になるための教員免許を取る人ぐらいでした。だから、青山学院女子短大なんて、そこらの四年制大学よりも偏差値が高かったですよ。

佐藤　たしかにそうでした。

池上　いまや女子短大はどんどんなくなっていますからね。

佐藤　私の一年下からが男女雇用機会均等法（一九八六年施行）で、そこで劇的な変化も起きています。

池上　やはり制度が社会をガラッと変える部分はあります。高度経済成長期とかバブル前の日本社会がどうだったのかを、日本人が書いたものではなくて、外部の視点から見ることで、事実を確認できるという皮肉な側面がありますね。日本人にとっては空気と同様なので、わざわざそれを書きませんから。そこが外国人が書く日本人論の最大の見どころではあります。

■対米従属論のどこがいけないのか

佐藤　ひとつ伺いますが、池上さん、ライシャワーの『ザ・ジャパニーズ』とオフチンニコフの『桜の枝』、これら米ソの慧眼《けいがん》の士が書いた本を読んだときに、「対米従属」的な日本観って出てきましたか？

池上　いえ、それはまったくどこにもないです。

佐藤　対米従属論は日本共産党の十八番ですが、この両著からはまったく出てこない論点です。むしろ、日本は文化的に自立している。文化が自立すれば政治も自立する。オフチンニコフは日本に学べと言い、ライシャワーにいたっては、日本の国力を見ればアメリカのライバルになりうる。アメリカとくっついているのは、日本が自らの利益を考えた上でのことだとしているわけです。

池上　そうですね。

佐藤　それに対して、今、日本で語られている「日本の自画像」的な言説を見ると、一方においては、何かに同化して日本人は凄いんだという自尊心に浸ると同時に、もう一方では、右も左もアメリカの言いなりになっているとする対米従属論を出してくる。私はこの二つがここ数年で強くなっているように思うんです。

池上　何かに同化するというのは、例えば、イチロー選手の時代もそうでしたが、ＭＬＢの大谷翔平選手の活躍に日本中が熱くなったり、外国人の日本大好きものの番組やYouTubeの動画にすら、我が事のように感情移入するようなことですね。

佐藤　ええ。それで、対米従属論の何がいけないかと言うと、それがアメリカというヘビに睨まれたら、日本は何もできないんだとする、日本の政治エリートの責任放棄につながる言説だからです。しかし、日本人論の古典を読むと、日本は十分に自立していることを認識できるわけです。日本人が考えている以上に、日本は大きく見られているということです。

池上　日本人のほうが対米従属だと思いがちなわけですね。

佐藤　そういうことです。そして対米従属論は、逆に感情的な反米主義にもつながっているんですよ。だから、アメリカ人やロシア人が書いた日本人論を読むことで、アメリカやロシアのことを考えるいい機会になると思います。

池上 ひいては日本について考える機会にもなるわけですね。

佐藤 ルース・ベネディクトも含めてこの三人というのは、いわゆる中立的なインテリじゃないわけです。意識的にはアメリカ国家やソ連国家を背負っていた人たちですから。すると、外国人論を書くときには、自分の立ち位置がはっきりしていないとできないんです。自分との差異を見ていくわけだから、自分のアイデンティティが確立している人にしかできない。コスモポリタンにはできないことなんですね。

池上 つまり、この章の結論は、「日本、凄い」でも、自虐論でもないということですね。

佐藤 自虐でなければ、他虐になりがちですが、そのどちらでもないということです。それはイエスが「隣人を汝自身と同じように愛せ」と言っているのと同じで、自分をきちんと愛せない者は他人を愛せない。それはキリスト教の考え方の基本ですから。自虐的に対応する人って、他人も愛することができないわけです。

池上 逆に、他人や他国の悪口ばかり言っている人も、また自国を愛することができない。

佐藤 他人の悪口ばかり言っている人は、だいたい自己評価も低いですからね。

■今、日本人論を扱う意味

池上　『ザ・ジャパニーズ』と同じ年（一九七九年）に日本で出版されますが、エズラ・ヴォーゲル（アメリカの社会学者、一九三〇～二〇二〇年）の『ジャパン・アズ・ナンバーワン』（CCCメディアハウス）が出たときに、日本人はみんな日本が評価されたと喜んだんですね。そして、あのころ、次々と海外から見た日本人論みたいなものが出ると、みんなベストセラーになったりしていました。

佐藤　『超大国日本の挑戦』（一九七〇年）で「21世紀は日本の世紀」と断じたハーマン・カーン（一九二二～一九八三年）という未来学者がいました。それについて、『プロパガンダ戦史』（中公文庫）を書いた池田徳眞《のりざね》（旧鳥取藩主池田氏第一七代当主、一九〇四～一九九三年）が、「21世紀は日本の世紀になる」というよりも「日本の世紀になるぞ」と「ぞ」を付けなければいけないと指摘したんです。警戒心の意味での「ぞ」ですね。これは称賛ではなくて、「日本の世紀にしてはいけない」というプロパガンダなんだ。私のように第二次大戦中にプロパガンダをやっていた人間にしてみればよくわかると。

池上　それは面白い。

佐藤　そして、カーンが日本の総理に会ったということに関して、池田徳眞は怒って書いているんです。これは歴史に残る珍事だと。

池上　つまり、反日プロパガンダをやっているような人間に総理が会ったと言って怒っているわけですね。

佐藤　だから、『ジャパン・アズ・ナンバーワン』や『超大国日本の挑戦』に沸き立っている日本で、状況を冷ややかに見ている人もいたわけです。『ジャパン・アズ・ナンバーワン』は全部、日本のことを褒めたたえているんですが、一つだけダメだという箇所があるんですよ。覚えています？

池上　いや、なんでしょうか。

佐藤　大学教育なんです。日本の大学生は勉強していない。大学教師も進化した教育をしていない。ほかはすべて良くできているんだけど、これだけはダメですと。

池上　それに関しては、その通りです。今でも当たっています。

ではここで、ちょっとまとめてみますと、『菊と刀』が出て以来、外部から客観的に語られた日本が衝撃的に受け止められた。そして日本人による日本人観が形づくられていった。と同時に外から見た日本人論を非常に気にするようになり、『ジャパン・アズ・ナンバーワン』にいたって、すっかり有頂天になってしまった。そこで、もう外国から学ぶものは何もないみたいなことになって、それからしばらくはこの手のものが出てこなかったように思います。

佐藤　そこで日本人は傲慢になってしまったんですね。たしかにその通りだと思います。

池上　アメリカのビルやゴルフ場、会社を買収しまくった一九八〇年代末は、傲慢さのピークだったのでしょう。『ザ・ジャパニーズ』には「自国が特殊だという思いこみは、優越感もしくは他人を軽蔑することと結びついていることが多い。だがこの一般論は、日本には必ずしもあてはまらない」とあります。

　しかし、傲慢になった日本人が自らについて思う「特殊性」は、完全に優越感の表われでした。そしたら、一九九一年三月にバブルが弾けてしまって、すっかり自信をなくしてしまった。すると、二〇〇〇年代に入って、いや、いや、日本というのは世界からこんなに尊敬されているんだぞという本が出るようになった。周りから褒めてもらえないから、自分たちでそれをやる。

佐藤　そうですね。

池上　そして二〇一三年になると、日本にこんな目的を持ってやってくる外国人が大勢いるという「ＹＯＵは何しに日本へ？」みたいなテレビ番組がはじまった。とにかく褒めてもらいたいから、自分でやるしかない。日本人論って、そういういくつかの波があるんだろうと思います。

佐藤　日本人論と、それから日本語とは何かという日本語論というものがある。なんか、定期的にその波が来ますね。繰り返しわれわれのアイデンティティの危機が来るということなんでしょう。だから、日本人論をいま扱う意味はそこにあるんですね。

池上　いちばん最初のところに話を戻すと、例えば新型コロナウイルスをめぐって、見たくないいろんな日本人の姿がありましたよね。

佐藤　例えば、ワクチンを抜け駆けして接種した市長や町長や自治体職員が相次ぎました。パンデミックには目をつぶって五輪に突進した政治家たちもひどいものでした。

池上　日本人は新型コロナウイルス感染症には罹《かか》りにくいとする根拠のない「特殊性」を元に、一時期でしたが、民族的な優越感が頭をもたげた現象もありました。

佐藤　とすると、新型コロナの終息が見えるとともに、日本人って何だろうという見直しが来ると思うんです。ですから、新たな日本人論が再び来ると私は見ているんです。

この章で二人が言及した本・映画

『ドイツ・イデオロギー』

『日本人の行動パターン』

『神曲』

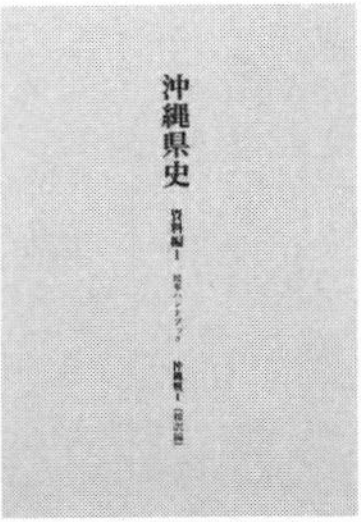

『沖縄県史　資料編 1』

『レーニン全集』

『竜安寺の 15 番目の石』

『鏡』

『超大国日本の挑戦』

『ジャパン・アズ・ナンバーワン』

『プロパガンダ戦史』

おわりに

日本の政治家や経済人はよく本を読んでいる。もっとも、小説、ビジネス書、エッセイ、自己啓発書が中心で、脚註がついた学術書はあまり読まない。有権者でこのような本を読んでいる人が少ないので、演説や日常会話での効用が低いからであろう。

政治家で演説の名手はたくさんいる。その場は面白いのだが心に残らない。ロシア社会主義革命を行ったレーニンは『何をなすべきか』（一九〇二年）で宣伝（プロパガンダ）と扇動（アジテーション）を区別した。宣伝は為政者を対象にもっぱら文書によって相手を理詰めで説得することだ。対して扇動は口頭で行い、大衆の感情を掻き立てて闘争に向かわせることが目的だ。日本の政治家の演説のほとんどが扇動に属する。

日本の企業経営者で座談の名手は多い。松下幸之助氏（松下電器産業）、盛田昭夫氏（ソニー）がその典型例だ。こういった人たちのビジネス書を現代の二〇代、三〇代の人が読んでも心に刺さらない。他方、ドラッカーやカーネギーのビジネス書、デイヴィッド・ロックフェラーの回顧録は若手のビジネスパーソンに知的刺激を与え続けている。政治家でもチャーチルやキッシンジャーの回顧録はいつになっても古くならない。

日本の政治家や実業家の話に独特のクセがあるのが問題の基本にあると私は考える。これらの政治家や実業家の話は、「こういうことがあった」「ああいうこともあった」「そのとき俺はこういう努力をした」というエピソードの羅列で、これらのエピソードに通底する普遍的規則を導き出そうとしていない。若い世代からすれば「俺が若い頃は、助けてやった海亀の背に乗って竜宮城に行ったもんだ」というようなおとぎ話の類いに聞こえるのである。

本書では日本のエリートたちの読書法を具体的かつ批判的に検討して、「このような本の読み方を止めなくては日本の知力も国力も弱っていく」というメッセージを私は伝えたかった。重要なのは、アカデミズムで行われているテキスト批判、解釈学の手法を入口だけでもよいので政治家やビジネスパーソンの読書に取り入れることだ。その結果、日本人の読解力が飛躍的に向上するだろう。

本書を上梓するにあたっては文春新書の前島篤志編集長、石橋俊澄氏にたいへんにお世話になりました。どうもありがとうございます。

二〇二一年一一月九日、曙橋（東京都新宿区）にて

佐藤　優

池上　彰（いけがみ あきら）

ジャーナリスト。1950年長野県生まれ。慶應義塾大学経済学部卒業。73年NHKに入局。94年から11年間にわたり「週刊こどもニュース」でニュースを解説し、人気を博する。2005年NHKを退職、フリージャーナリストとして活躍。主な著書に『伝える力』『世界を変えた10冊の本』『おとなの教養』『池上彰の世界の見方』など多数。

佐藤　優（さとう まさる）

作家・元外務省主任分析官。1960年東京都生まれ。同志社大学大学院神学研究科修了後、外務省に入省し、在ロシア連邦日本国大使館などに勤務。その後、本省で主任分析官として活躍。2002年背任と偽計業務妨害容疑で逮捕・起訴。09年有罪確定（懲役2年6カ月、執行猶予4年）。13年に執行猶予期間を満了し、刑の言い渡しが効力を失った。主な著書に『国家の罠』『獄中記』『自壊する帝国』『私のマルクス』『読書の技法』『調べる技術　書く技術』『池田大作研究』など多数。

文春新書

1341

無敵《むてき》の読解力《どつかいりよく》

2021年12月20日　第1刷発行

著　者　池　上　　彰
　　　　佐　藤　　優

発行者　大　松　芳　男

発行所　株式会社　文　藝　春　秋

〒102-8008　東京都千代田区紀尾井町3-23
電話（03）3265-1211（代表）

印刷所　理　想　社
付物印刷　大　日　本　印　刷
製本所　大　口　製　本

定価はカバーに表示してあります。
万一、落丁・乱丁の場合は小社製作部宛お送り下さい。
送料小社負担でお取替え致します。

ISBN978-4-16-661341-0